わしは、エジソン。
トーマス・エジソンじゃ。
くらやみを明《あか》るくてらす「電球《でんきゅう》」や
音楽《おんがく》をきくための「蓄音機《ちくおんき》」など
数々《かずかず》の発明《はつめい》をしたことから
「発明王《はつめいおう》」なんて
言《い》われたりもしているぞ。
だが、心《こころ》ない人間《にんげん》からは
こんなふうにもよばれておる……

失《しっ》敗《ぱい》王《おう》
まったく、けしからん。わしは失《しっ》敗《ぱい》など一《いち》度《ど》もしていない。

たしかに、ひとつの
発明品《はつめいひん》を作《つく》るまでに
わしはいくつもの
失敗作《しっぱいさく》を作《つく》っている。

しかし、これらは
「失敗《しっぱい》」ではない！
わしは失敗《しっぱい》するたびに
「うまくいかない方法《ほうほう》」をひとつ
発明《はつめい》しているのじゃ！
たとえ、1000回《かい》失敗《しっぱい》しても
それは

**「1000回《かい》
うまくいかない
方法《ほうほう》を発明《はつめい》した」**

だけのことじゃ！

なに？　結局《けっきょく》、失敗《しっぱい》して
いるじゃないか、だと？
ああ、そうさ！
だが、1000の失敗《しっぱい》なしに
1の大成功《だいせいこう》を作《つく》ることは
できんのじゃ！
つまり、何《なに》が言《い》いたいか
わかるか？

失敗《しっぱい》はしてもよい、いや
むしろ失敗《しっぱい》はするべきなのじゃ！
世《よ》の中《なか》には、失敗《しっぱい》して
くよくよする人《ひと》もおるが
それは、失敗《しっぱい》になれていないだけじゃ。
わしは言《い》いたい！
みんなもっと失敗《しっぱい》しなさい！

どんどん、じゃんじゃん
失敗《しっぱい》しなさい！

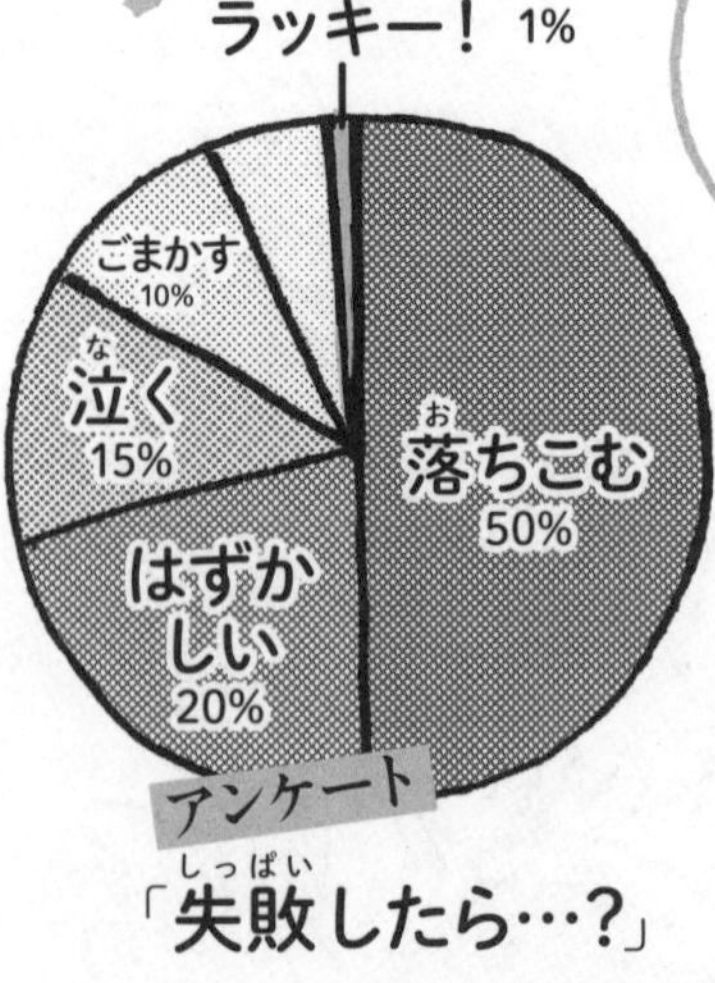

成功《せいこう》につながる道《みち》はどれ？

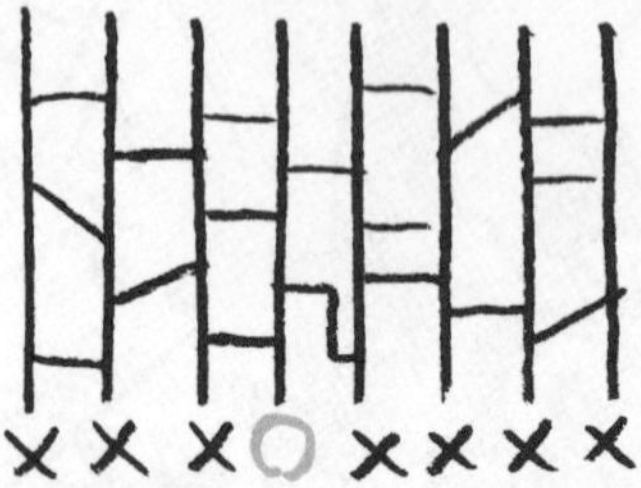

そして、考《かんが》えるのじゃ。
どうして失敗《しっぱい》したかをな。
そうすることで
失敗《しっぱい》から成功《せいこう》につながる道《みち》が
少《すこ》しずつ見《み》えてくる。

さらに、人生《じんせい》には
ぜったいに失敗《しっぱい》しては
いけないときがある。
たとえば
命《いのち》がかかっているときとかな。
そういうときに
失敗《しっぱい》しないためにも
ふだんからたくさん失敗《しっぱい》して
失敗《しっぱい》になれておくことが
大事《だいじ》なんじゃ。

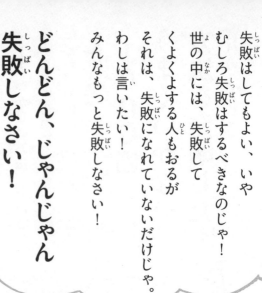

というわけで
これから、わしのように
「世界《せかい》に名《な》を残《のこ》したスゴイ人《ひと》たち」
いわゆる「偉人《いじん》」たちの失敗《しっぱい》と
その失敗《しっぱい》から、かれらが
どうやってふっかつしたかを
しょうかいする。
これを読《よ》んで
失敗《しっぱい》がいかに人生《じんせい》にとって
すばらしいものかを学《まな》んでくれ。
失敗《しっぱい》は
すばらしい！
Viva《ビバ》失敗《しっぱい》！
この本《ほん》を読《よ》んで
みんながすばらしい失敗人生《しっぱいじんせい》を
送《おく》ってくれることを
わしは望《のぞ》んでおるぞ。
「発明王《はつめいおう》」あらため「失敗王《しっぱいおう》」
とーます・えじそん

もくじ

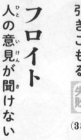

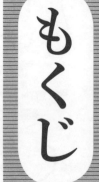

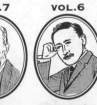

CONTENTS

SHIPPAI ZUKAN

失《しっ》敗《ぱい》

すごい人ほどダメだった！

図《ず》鑑《かん》

失敗 VOL. 1

成功《せいこう》にしがみつく

【人物《じんぶつ》】ライト兄弟《きょうだい》

兄《あに》 ウィルバー（一八六七－一九一二年《ねん》）

弟《おとうと》 オーヴィル（一八七一－一九四八年《ねん》）

【出身地《しゅっしんち》】アメリカ 【どんなことをした人《ひと》？】初《はじ》めて飛行機《ひこうき》で空《そら》を飛《と》んだ

人《じん》類《るい》が生《う》まれてから、どれくらいの時《とき》がすぎたのでしょう。十万年《じゅうまんねん》？百万年《ひゃくまんねん》？

くわしい数字《すうじ》はわかりません。でも、長《なが》い長《なが》い人類《じんるい》の歴史《れきし》の中《なか》で、こんな夢《ゆめ》を見《み》ていた人《ひと》は、それこそ星《ほし》の数《かず》ほどいたことでしょう。

「鳥《とり》のように自由《じゆう》に空《そら》を飛《と》びたい！」

この夢《ゆめ》がかなうまで、人類《じんるい》は何十万年《なんじゅうまんねん》という月日《つきひ》を必要《ひつよう》としました。

そして、１９０３年《ねん》12月《がつ》17日《にち》、アメリカ・ノースカロライナ州《しゅう》キティホーク……。

兄《あに》ウィルバー・ライト、弟《おとうと》オーヴィル・ライトの「ライト兄弟《きょうだい》」が作《つく》り上《あ》げた世界初《せかいはつ》の飛行機《ひこうき》、ライトフライヤー号《ごう》は、この日《ひ》、最初《さいしょ》の飛行《ひこう》で12秒《びょう》、その後《ご》4回《かい》の飛行《ひこう》を行《おこな》い、最《さい》長《ちょう》で59秒《びょう》の飛行《ひこう》に成功《せいこう》。

どれも1分《ぷん》に満《み》たない飛行《ひこう》でした。

それでも、これが、人類《じんるい》が自由《じゆう》に空《そら》を飛《と》べるつばさを手《て》に入《い》れた始《はじ》まりでした。

そんな、歴史的《れきしてき》な初飛行《はつひこう》から9年後《ねんご》、兄《あに》ウィルバーはなくなり、残《のこ》された弟《おとうと》オーヴィルも、すっかり年《とし》を取《と》りました。

そして、思《おも》います。

え？　いったい、どういうことなのでしょう！

【アチャ〜〜〜】
兄《にい》さん、今度《こんど》の裁判用《さいばんよう》のデータ作《つく》れた？
弟《おとうと》よ。別《べつ》の裁判《さいばん》のじゅんびでいそがしくてそれどころではない！
【結婚《けっこん》】
ふたりとも一度《いちど》も結婚《けっこん》しなかった
【職業《しょくぎょう》】
もともとは自転車屋《じてんしゃや》さん
【トラブル】
裁判《さいばん》で、アメリカの飛行機《ひこうき》業《ぎょう》界《かい》からきらわれたせいで、「初《はつ》の飛行機《ひこうき》を作《つく》ったのはサミュエル・ラングレー」とウソの歴史《れきし》が作《つく》られ、もめた。
パチ
パチ
もう、ライト兄弟《きょうだい》の時代《じだい》じゃないな
くぬう
兄さんおちついてっ

ライト兄弟《きょうだい》は、自分《じぶん》たちの飛行機《ひこうき》の技術《ぎじゅつ》に「特許《とっきょ》」を取《と》っていました。

特許《とっきょ》とは、かんたんに言《い》うと「他人《たにん》にまねさせないけんり」のこと。これにより、ライト兄弟《きょうだい》の技術《ぎじゅつ》は、かれらにお金《かね》をはらわないかぎり、勝手《かって》に使《つか》えないものになりました。

しかし、飛行機《ひこうき》は人類《じんるい》にとって夢《ゆめ》の乗《の》り物《もの》。より速《はや》く、より遠《とお》くまで飛《と》べるものを作《つく》ろうと、多《おお》くの人《ひと》が熱心《ねっしん》に研究《けんきゅう》していました。当《とう》然《ぜん》、ライト兄弟《きょうだい》の技術《ぎじゅつ》を参考《さんこう》に作《つく》られた飛行《ひこう》機《き》も、次々《つぎつぎ》とあらわれます。すると、ライト兄弟《きょうだい》はすかさず「おれたちの特許《とっきょ》ににている」ともんくをつけたのです。もちろん相手《あいて》も「いや、自分《じぶん》で考《かんが》えたものだ」と言《い》い返《かえ》す。

こうして、どちらが言《い》っていることが正《ただ》しいのかをはんだんするための裁判《さいばん》が始《はじ》まります。

ライト兄弟《きょうだい》は、このような裁判《さいばん》に時間《じかん》を取《と》られるようになり、飛行機《ひこうき》を改良《かいりょう》する時間《じかん》をもてなくなってしまいます。

その間《かん》も、他《ほか》のライバルたちによって飛行機《ひこうき》の技術《ぎじゅつ》はどんどん上《あ》がっていき、ライト兄弟《きょうだい》の技術《ぎじゅつ》は、どんどん時代《じだい》おくれになっていきました。飛行機《ひこうき》の大会《たいかい》に出《で》ても、かれらの飛行機《ひこうき》は良《よ》いせいせきを残《のこ》せなくなり、そんな中《なか》、兄《あに》ウイルバーがわずか45才《さい》でなくなってしまいます。

その3年後《ねんご》には、弟《おとうと》オーヴィルも飛行機作《ひこうきづく》りをやめ、ライト兄弟《きょうだい》は、飛行機《ひこうき》の世界《せかい》から完全《かんぜん》にすがたを消《け》してしまいました。

そして、始《はじ》まった第二次世界大戦《だいにじせかいたいせん》。飛行機《ひこうき》が人《ひと》を殺《ころ》す兵器《へいき》として使《つか》われている現実《げんじつ》を見《み》た弟《おとうと》オーヴィルは、自分《じぶん》の人生《じんせい》をこうかいしたのでした。

ライト兄弟《きょうだい》の失敗《しっぱい》は、裁判《さいばん》を起《お》こして、それに時間《じかん》を取《と》られすぎてしまったこと。前《まえ》のページを読《よ》むと、そう思《おも》うかもしれません。

でも、ライト兄弟《きょうだい》の本当《ほんとう》の失敗《しっぱい》は、「成功《せいこう》をうまく使《つか》えなかった失敗《しっぱい》」です。

ライト兄弟《きょうだい》は、初飛行《はつひこう》を成功《せいこう》させるまで何《なん》年《ねん》もの間《あいだ》、苦労《くろう》に苦労《くろう》を重《かさ》ねました。ふたりの会話《かいわ》は飛行機《ひこうき》のことばかり。かれらはまさに人《じん》生《せい》をかけて、飛行機《ひこうき》を完成《かんせい》させたのです。だから、にたような飛行機《ひこうき》を見《み》て、ゆるせない気持《きも》ちになるのもしかたありません。でも、ひとつの成功《せいこう》にいつまでもこだわっていると、じつはそんをすることが多《おお》いのです。

成功《せいこう》とは、「守《まも》るもの」ではなく、次《つぎ》の成功《せいこう》のために「使《つか》うもの」。

たとえば、いっしょうけんめい走《はし》り方《かた》を学《まな》び、たくさん練習《れんしゅう》して、運動会《うんどうかい》のかけっこで1位《い》になったとします。この後《あと》、「すげーだろう」と言《い》うだけの人《ひと》と、自分《じぶん》が速《はや》くなった方法《ほうほう》をみんなに教《おし》える人《ひと》。どちらがより大《おお》きな成功《せいこう》をつかめると思《おも》いますか。

答《こた》えは、もちろん「みんなに教《おし》える人《ひと》」。みんなの足《あし》が速《はや》くなれば、今度《こんど》は、クラスで協力《きょうりょく》するリレーや大玉《おおだま》ころがしなどのきょうぎでも、1位《い》がとれるかもしれません。

このように、ひとつの成功《せいこう》から次《つぎ》の成功《せいこう》を作《つく》るには「分《わ》けあたえる」ことがポイントになります。分《わ》けられるところは、分《わ》ける。そうすれば、土《つち》に植《う》えた種《たね》がやがて芽《め》を出《だ》し、花《はな》をさかせ、たくさんの実《み》を付《つ》けるように、成功《せいこう》も大《おお》きくなって、みんなの元《もと》へ帰《かえ》ってくるでしょう。

失敗 VOL. 2 にげ出《だ》す

【人物《じんぶつ》】二宮尊徳《にのみやそんとく》（一七八七－一八五六年《ねん》）
【出身地《しゅっしんち》】日本《にほん》【どんなことをした人《ひと》？】農政家《のうせいか》、思想家《しそうか》

二《にの》宮尊徳《みやそんとく》、別名《べつめい》「二宮金次郎《にのみやきんじろう》（金治郎《きんじろう》）」と言《い》えば、これです。

今《いま》は、あまり見《み》かけなくなりましたが、昔《むかし》は、そこら中《じゅう》の小学校《しょうがっこう》におかれていた有名《ゆうめい》な銅像《どうぞう》。でも、この二宮金次郎《にのみやきんじろう》が何《なに》をした人物《じんぶつ》かを知《し》っている人《ひと》は、あまり多《おお》くありません。

金次郎《きんじろう》は農家《のうか》に生《う》まれましたが、14才《さい》で父親《ちちおや》を失《うしな》い、ものすごくびんぼうになりました。そのため、金次郎《きんじろう》もすぐに働《はたら》くことになりました。

それでも、勉強《べんきょう》をあきらめたくなかった金《きん》次郎《じろう》は、食事《しょくじ》を作《つく》るときなどに使《つか》う「まき」という細《ほそ》い木《き》を取《と》りに山《やま》へ行《い》くときも、行《い》き帰《かえ》りの道《みち》で本《ほん》を読《よ》み、勉強《べんきょう》していました。上《うえ》の銅像《どうぞう》は、そのときのすがたを表《あらわ》したものです。

まさに、絵《え》にかいたような「まじめな優等生《ゆうとうせい》」。

さらに、こんなエピソードもあります。

金次郎《きんじろう》が12才《さい》のころ、村《むら》で川《かわ》の水《みず》があふれないように、土手《どて》を作《つく》る工事《こうじ》を行《おこな》うことになりました。各家庭《かくかてい》からひとりずつ働《はたら》き手《て》を出《だ》すのですが、二宮家《にのみやけ》は、体《からだ》の弱《よわ》かった父《ちち》に代《か》わり、金《きん》次郎《じろう》が出《で》ることになりました。

でも、まだ子《こ》どもだった金次郎《きんじろう》は、一人前《いちにんまえ》の働《はたら》きができず、このことを心苦《こころぐる》しく思《おも》いました。そこで、家《いえ》に帰《かえ》った後《あと》、夜《よる》おそくまで「わらじ」というはきものを人数分作《にんずうぶんつく》り、次《つぎ》の日《ひ》、「ケガのないように」と村人《むらびと》たちに配《くば》ったのです。

金次郎《きんじろう》は「できない」ことをあきらめず、「自分《じぶん》ができることでカバーする」。そんな発想《はっそう》ができる子《こ》どもだったのです。

さらに金次郎《きんじろう》は、土手《どて》に、おこづかいをためて買《か》った小《ちい》さな木《き》を植《う》えました。その数《かず》、なんと２００本《ぽん》。

「木《き》が成長《せいちょう》すれば、しっかりと根《ね》をはるため、土《つち》がくずれにくくなる」

だれかに聞《き》いたのか、本《ほん》で読《よ》んだのかはわかりませんが、金次郎《きんじろう》は「学《まな》んで知《し》ったことを、じっさいに使《つか》うことができる」そんな力《ちから》ももっていたのです。もう、イヤミなくらい、よくできた子《こ》どもですよね。そんな子《こ》どもが大人《おとな》になったら、どうなると思《おも》います？

25才《さい》になった金次郎《きんじろう》は、「武士《ぶし》」という国《くに》のえらい人《ひと》の子《こ》どもの家庭教師《かていきょうし》をすることになりました。

しかし、江戸時代《えどじだい》が終《お》わりかけていたこのころ、武士《ぶし》だからみなお金持《かねも》ちというわけではなく、武士《ぶし》も、その武士《ぶし》にやとわれている人《ひと》たちの多《おお》くも、びんぼうでした。

ある日《ひ》、金次郎《きんじろう》は、同《おな》じやしきでそうじや料理《りょうり》をして働《はたら》いている女中《じょちゅう》に、「お金《かね》をかしてほしい」とたのまれました。お金《かね》がない人《ひと》にお金《かね》をかしても、もどってくるはずはありません。でも、金次郎《きんじろう》は、その女中《じょちゅう》にお金《かね》をかしてあげました。じつは、金次郎《きんじろう》には、ある考《かんが》えがあったのです。

金次郎《きんじろう》は女中《じょちゅう》に、料理《りょうり》をするときに使《つか》うまきの本数《ほんすう》を、5本《ほん》から3本《ぼん》にへらす方法《ほうほう》を教《おし》えました。そして、あまった2本《ほん》のまきを自分《じぶん》がもらい、あるていどたまると、それを売《う》ってお金《かね》に変《か》えたのです。こうして、金次郎《きんじろう》は無事《ぶじ》、お金《かね》を取《と》りもどすことができました。

「その人《ひと》がもっている力《ちから》を、どう生《い》かすか」金《きん》次郎《じろう》は、このことをだれよりも考《かんが》える人《ひと》でした。このできごとをきっかけに、金次郎《きんじろう》は、お金《かね》にこまる多《おお》くの人《ひと》を助《たす》けるようになりました。

こうやって置けば3本で足りる
人の力を生かす
さすが金サマ☆

そして、このうわさが広《ひろ》まり、金次郎《きんじろう》はある仕事《しごと》をまかされます。それが「農村復興《のうそんふっこう》」です。

じつは、このとき、台風《たいふう》などの天災《てんさい》が続《つづ》いたため、農村《のうそん》はどこも作物《さくもつ》がとれず、とてもまずしいくらしをしていました。金次郎《きんじろう》は、そんな農村《のうそん》を救《すく》うため、まずは人々《ひとびと》の心《こころ》を変《か》えることから始《はじ》めました。村人《むらびと》たちは、農作物《のうさくぶつ》がとれないことで、何《なに》よりやる気《き》を失《うしな》っていたのです。

金次郎《きんじろう》は、やる気《き》を出《だ》させるために、村人《むらびと》が国《くに》にはらう税金《ぜいきん》を少《すく》なくする方法《ほうほう》、そして、村人《むらびと》一人《ひとり》ひとりの良《よ》さを生《い》かした仕事《しごと》のやり方《かた》を教《おし》えていきました。さらに、結果《けっか》を残《のこ》した人《ひと》には正《ただ》しいひょうかをあたえ、賞金《しょうきん》を出《だ》したのです。

これはまさに、はば広《ひろ》い「知識《ちしき》」と、それを生《い》かす「知恵《ちえ》」、人《ひと》をひょうかするための「正《ただ》しい心《こころ》」をもった、スーパー優等生《ゆうとうせい》・金次郎《きんじろう》にしかできない仕事《しごと》でした。

金次郎《きんじろう》は、69才《さい》でなくなるそのときまで、まずしい農村《のうそん》を復興《ふっこう》するため、ひたすら走《はし》り続《つづ》けました。

まあ、とちゅう、多少《たしょう》の失敗《しっぱい》はありましたけど……。

失敗

にげ出《だ》す

【アチャ〜〜】

【代表作《だいひょうさく》】

「勤倹譲《きんけんじょう》（勤労《きんろう》・倹《けん》約《やく》・推譲《すいじょう》）」「分度《ふんど》を持《も》って生《い》きる」「一円《いちえん》観《かん》」などの教《おし》え。「日本《ほん》で最《もっと》も銅像《どうぞう》になった人《ひと》（推定《すいてい》）」という、どうでもいい栄光《えいこう》

【伝説《でんせつ》】
ナスを食《た》べて、その年《とし》は農作物《のうさくぶつ》がぜんぜんとれないことを予言《よげん》し、当《あ》たる

【妻《つま》】
34才《さい》のとき、16才《さい》の女性《じょせい》と結婚《けっこん》

【職業《しょくぎょう》】
金次郎《きんじろう》の職業《しょくぎょう》を今《いま》の言葉《ことば》で言《い》うとファイナンシャルプランナー

それは、金次郎《きんじろう》が最初《さいしょ》に復興《ふっこう》に取《と》り組《く》んだ村《むら》で起《お》きました。

まず、村《むら》のみんなが集《あつ》まる集会《しゅうかい》場《じょう》を作《つく》り、復興《ふっこう》のリーダーや、お金《かね》をかすべき人《ひと》などを、みんなで話《はな》し合《あ》って決《き》めさせました。こうすることで、村人《むらびと》たちの「村《むら》を立《た》て直《なお》そう！」という気持《きも》ちを強《つよ》めていったのです。

そして、金次郎自身《きんじろうじしん》は、その村《むら》を治《おさ》める武士《ぶし》に「復興《ふっこう》するまで税金《ぜいきん》を少《すこ》し安《やす》くしてほしい」と、お願《ねが》いしました。国《くに》に取《と》られるお金《かね》がへることで、村人《むらびと》はさらにやる気《き》が出《で》ます。

このようにして始《はじ》まった復興《ふっこう》は、最初《さいしょ》のうちは、順調《じゅんちょう》に進《すす》みました。しかし、金次郎《きんじろう》をきらっている武士《ぶし》にそそのかされ、金次郎《きんじろう》に反対《はんたい》する人《ひと》が、村人《むらびと》たちの中《なか》に出《で》てきました。

「もともと農民《のうみん》のくせに、えらそうに！　しかも、税金《ぜいきん》まで安《やす》くするだと？　それでは得《とく》するのは農民《のうみん》だけではないか！　二宮《にのみや》は、この国《くに》をもっとびんぼうにする気《き》なのか！」

金次郎《きんじろう》には、税金《ぜいきん》を安《やす》くしても、とれる作物《さくもつ》の量《りょう》がふえれば、結果的《けっかてき》に国《くに》に入《はい》る税金《ぜいきん》は多《おお》くなるという計算《けいさん》があったのですが、人《ひと》をいつまでも身分《みぶん》や地位《ちい》などで差別《さべつ》する人《ひと》は、もともと頭《あたま》が良《よ》くないので、金次郎《きんじろう》の計算《けいさん》なんて通《つう》じません。

金次郎《きんじろう》の悪口《わるぐち》を言《い》う武士《ぶし》を信《しん》じた人《ひと》たちは、働《はたら》かなくなり、金次郎《きんじろう》を信《しん》じる人《ひと》たちと言《い》い争《あらそ》うようになったため、復興《ふっこう》はおくれていきました。

進《すす》まない復興《ふっこう》。自分《じぶん》に反対《はんたい》する人《ひと》たちの声《こえ》。たえきれなくなった金次郎《きんじろう》は、とうとう自信《じしん》を失《うしな》い、村《むら》からにげ出《だ》してしまったのです！

失敗

にげ出《だ》す

村《むら》からにげ出《だ》した金次郎《きんじろう》は、いったん実家《じっか》に帰《かえ》った後《あと》、温泉旅行《おんせんりょこう》に出《で》かけ、心《こころ》を落《お》ち着《つ》かせようとしました。しかし、家《いえ》や温泉《おんせん》では、体《からだ》のつかれは取《と》れても、心《こころ》のキズまでは治《なお》りません。

そこで、金次郎《きんじろう》は、食事《しょくじ》をしない「断食《だんじき》」という修行《しゅぎょう》を行《おこな》うことにしたのです。

21日間《にちかん》、何《なに》も食《た》べず、自分《じぶん》と向《む》き合《あ》い続《つづ》けた金次郎《きんじろう》の心《こころ》は、少《すこ》しずつ変《か》わっていきました。

善《ぜん》と悪《あく》。好《す》きときらい。そんなものは、そもそもそんざいしない。世《よ》の中《なか》には、ぜったいの悪《あく》人《にん》もいないし、ぎゃくに、ぜったいの善人《ぜんにん》もいない。すべては、自分《じぶん》の心《こころ》が作《つく》り出《だ》したものだ。自分《じぶん》の心《こころ》が、その人《ひと》を「悪《あく》」と思《おも》ってしまえば、その気持《きも》ちは相手《あいて》に伝《つた》わる。伝《つた》わってしまえば、相手《あいて》も自分《じぶん》をきらいになる。それだけのことだ。

こうして、金次郎《きんじろう》の心《こころ》から、武士《ぶし》たちを「悪《あく》」や「敵《てき》」と思《おも》う気持《きも》ちは消《き》えていきました。

金次郎《きんじろう》は、村《むら》にもどりました。心《こころ》の強《つよ》さを身《み》につけた金次郎《きんじろう》に、こわいものはありません。何《なに》しろ、金次郎《きんじろう》には敵《てき》がいないのです。金次郎《きんじろう》をきらっていた人《ひと》たちとも、何《なに》もなかったかのように、ふつうに話《はな》す。そんな金次郎《きんじろう》と話《はな》していると、金次郎《きんじろう》をきらっていた人《ひと》たちは、自分《じぶん》がはずかしく思《おも》え、とうとう金次郎《きんじろう》のじゃまをする人《ひと》はいなくなったのです。

そして見事《みごと》、村《むら》の復興《ふっこう》は成功《せいこう》！　村《むら》にはたくさんの作物《さくもつ》が実《みの》るようになり、その結果《けっか》、国《くに》も多《おお》くの税金《ぜいきん》を手《て》に入《い》れることができました。

その後《ご》、この村《むら》をお手本《てほん》に、多《おお》くのまずしい村《むら》が復興《ふっこう》の手《て》がかりをつかみました。金次郎《きんじろう》に救《すく》われた村《むら》は、６００以上《いじょう》もあると言《い》われて

います。
にげ出《だ》す失敗《しっぱい》。ものすごくかっこう悪《わる》いことのように思《おも》えますが、「にげる」というのは、はたして、そんなに悪《わる》いことなのでしょうか。たしかに、どんなにツラくてもにげずにがんばるというのは、とても美《うつく》しいことです。
でも、本当《ほんとう》に「自分《じぶん》の力《ちから》ではどうしようもできない！」と感《かん》じたときは、その気持《きも》ちにまかせて、にげちゃいましょう。
大事《だいじ》なのは、にげた後《あと》、何《なに》をするかです。金《きん》次郎《じろう》のように、まずは心《こころ》を落《お》ち着《つ》かせてから、しんけんに自分《じぶん》と向《む》き合《あ》いましょう。そして、「二度《にど》とにげないために、どうすればよいか」を考《かんが》え、行動《こうどう》できれば、にげたっていいのです。

失敗 VOL. 3

「イケてない」と言《い》われる

【人物《じんぶつ》】ココ・シャネル（一八八三－一九七一年《ねん》）

【出身地《しゅっしんち》】フランス【どんなことをした人《ひと》？】ファッションデザイナー

ファッションの歴史《れきし》を変《か》えたデザイナー、ココ・シャネル。しかし、かのじょの人生《じんせい》の始《はじ》まりは、決《けっ》してはなやかなものではありませんでした。

1

ガブリエル・ボヌール・シャネルが12才《さい》のとき、母《はは》がなくなった。そして、父《ちち》にすてられた。行《い》き場《ば》のなくなったこの少女《しょうじょ》は、親《おや》のいない子《こ》どもをあずかる「孤《こ》児院《じいん》」で18才《さい》までくらした。

2

お酒《さけ》とダンス、歌《うた》、おしばいを売《う》る店《みせ》。ここで、ひとりの女性《じょせい》が歌《うた》っていた。かのじょを見《み》て、客《きゃく》は「ココ！　ココ！」と言《い》った。ココとは、かのじょが得意《とくい》にしていた歌《うた》『トロカデロでココを見《み》たのはだれ？』から生《う》まれたあだ名《な》。客《きゃく》のリクエストにこたえ、かのじょのやさしい歌声《うたごえ》が店《みせ》にひびく。こうして、ガブリエル・ボヌール・シャネルは、ココ・シャネルとなった。

3

始《はじ》まりは、ぼうしだった。それまでの女性用《じょせいよう》のぼうしは、鳥《とり》の羽《はね》などのかざりがたくさんついた、ゴテゴテした物《もの》だった。シャネルは羽《はね》かざりを取《と》り、シンプルで軽《かる》く、動《うご》きやすいぼうしを作《つく》った。これが、かのじょのデザイナーとしてのデビューとなった。

4

パリなどに店《みせ》をかまえたシャネルは、女性用《じょせいよう》のスーツなどを作《つく》り、女性《じょせい》のファッションの流《なが》れをガラリと変《か》えるかくめいを起《お》こした。それは、これまでのひらひらとした、かざりの多《おお》い服《ふく》とはちがい、シンプルで動《うご》きやすく、女性《じょせい》が仕事《しごと》で戦《たたか》える服《ふく》だった。

5

シャネルのかくめいは、服《ふく》だけでなく、香《かお》りにまでいたった。今《いま》も大人気《だいにんき》の香水《こうすい》「シャネルNo. 5《ナンバーファイブ》」によってもたらされる、やさしくすきとおった香《かお》りは、世界中《せかいじゅう》の女性《じょせい》から愛《あい》された。

それから、15年《ねん》がたった……。

6

こうして、世界的《せかいてき》なデザイナーとなったシャネル。だが、戦争《せんそう》がすべてをうばった。だれもファッションに見向《みむ》きもしなくなった。ココ・シャネル55才《さい》。デザイナーをやめた。

【アチャ〜〜】

【黒《くろ》】
それまで「おそうしきの色《いろ》」だった黒《くろ》を「最《もっと》もクールな色《いろ》」「永遠《えいえん》の流行《りゅうこう》色《しょく》」に変《か》えた

【技術《ぎじゅつ》】
孤児院《こじいん》で服《ふく》のぬい方《かた》を覚《おぼ》え、しばらく服《ふく》を作《つく》る針子《はりこ》という仕事《しごと》をしていた

【あだ名《な》】
あだ名《な》の「ココ」は「ココリコ」という歌《うた》からとったという説《せつ》もある

【代表作《だいひょうさく》】
シャネルスーツ、香水《こうすい》「シャネルNo. 5《ナンバーファイブ》」、ショルダーバッグ

戦《せん》争《そう》が終《お》わり、ふたたびファッションに関心《かんしん》をもち始《はじ》めた人々《ひとびと》。

しかし、終戦後《しゅうせんご》に流行《りゅうこう》したファッションは、ウエストを細《ほそ》くしめつけ、むなもとを広《ひろ》く開《あ》けて、女性《じょせい》の体《からだ》をより美《うつく》しく見《み》せようとするものでした。

戦争《せんそう》が始《はじ》まる前《まえ》、シャネルが作《つく》っていた服《ふく》は、社会《しゃかい》に出《で》て働《はたら》くようになった女性《じょせい》が仕事《しごと》の現場《げんば》で自由《じゆう》に戦《たたか》えるための、言《い》わば「戦闘服《せんとうふく》」でした。だから、シンプルで動《うご》きやすく、それでいて上品《じょうひん》。そんな服《ふく》を作《つく》ることで、シャネルは、女性《じょせい》のファッションと生《い》き方《かた》を変《か》えてきたのに、戦争《せんそう》が終《お》わると、ふたたび、ただ美《うつく》しさを見《み》せるだけの服《ふく》が流行《はや》るようになっていたのです。

シャネル70才《さい》。心《こころ》に火《ひ》がつきました。

「しめつけられた服《ふく》では、自由《じゆう》に働《はたら》くことはできない。女性《じょせい》がイキイキとかがやける服《ふく》を！」

シャネルはファッションの世界《せかい》にもどってきました。そして、一年間《ねんかん》じゅんびを重《かさ》ね、ファッションショーを開《ひら》いたのです。

しかし、これが大失敗《だいしっぱい》！　というのも、ショーを見《み》に来《き》たファッションの専門家《せんもんか》に、こんなことを書《か》かれてしまったのです。

「物悲《ものがな》しい回顧録《かいころく》」

これは、「昔《むかし》の栄光《えいこう》を引《ひ》きずったデザイナーの、古《ふる》くさいファッションショーだった」というような意味《いみ》です。

シャネルは、今《いま》を生《い》きる女性《じょせい》が、美《うつく》しくかがやくための服《ふく》を作《つく》ったつもりだったのに……。

「もう、自分《じぶん》の時代《じだい》は終《お》わってしまったのか」

いったい、シャネルはこの失敗《しっぱい》をどう乗《の》りこえたのでしょう？

シャネルは、めげませんでした。それどころか、ひどいことを言《い》われて、ふたたび心《こころ》に火《ひ》が付《つ》き、その後《あと》も、さまざまな服《ふく》を作《つく》っては発表《はっぴょう》していきました。

そして、ついに、みとめられたのです。

それは、シャネルが活動《かつどう》していたフランスではなく、遠《とお》く海《うみ》をこえたアメリカでした。

この時代《じだい》、アメリカでは、世界《せかい》に先《さき》がけて女《じょ》性《せい》が自由《じゆう》に働《はたら》くことがブームになっていました。アメリカの新《あたら》しい女性《じょせい》たちに、シャネルの服《ふく》は大《おお》よろこびで受《う》け入《い》れられたのです。

アメリカでの人気《にんき》が高《たか》まったことで、シャネルのショーを「物悲《ものがな》しい回顧録《かいころく》」とはきすてていたフランスのファッション界《かい》も、シャネルの服《ふく》をみとめるようになりました。

そして、その後《ご》も、シャネルは続々《ぞくぞく》と女性《じょせい》の心《こころ》がふるえるような服《ふく》を発表《はっぴょう》し続《つづ》け、世界中《せかいじゅう》にその人気《にんき》を広《ひろ》めました。

それにしても、シャネルの服《ふく》の、いったいどこがそんなにすごいのでしょう？　それをみんなが知《し》る方法《ほうほう》は、たったひとつ。大《おお》きくなってから、日本《にほん》にもあるシャネルのお店《みせ》に行《い》き、ためしに着《き》てみることです。そうすれば、シャネルが何《なに》を美《うつく》しいと思《おも》っていたか、また、女性《じょせい》たちにどう生《い》きてほしいと考《かんが》えていたのかが、よくわかるはずです。

さて、自分《じぶん》がいっしょうけんめいに作《つく》った物《もの》や、考《かんが》えたことが、まわりの人《ひと》から笑《わら》われたり、ダメだと言《い》われる。そんなシャネルのようなできごとが、みんなにも起《お》こるかもしれません。

でも、もしかしたらそれは、シャネルと同《おな》じで、ただ「ここではみとめられなかっただけ」

かもしれません。

たとえば、自分《じぶん》では「ものすごくよくかけた」と思《おも》った絵《え》が、クラスの人《ひと》に笑《わら》われたとしても、気《き》にせず、ちいきのコンクールに出《だ》してみるなど、相手《あいて》にする世界《せかい》をどんどん広《ひろ》げてみましょう。

ふつうに生活《せいかつ》をしていると、ついつい、自分《じぶん》のまわりにあるものだけを世界《せかい》と思《おも》ってしまいがちです。でも、じっさいの世界《せかい》は、ものすごく広《ひろ》いのです。そのどこかに、自分《じぶん》のことをみとめてもらえる場所《ばしょ》が、必《かなら》ずあります。

その場所《ばしょ》が見《み》つかるまであきらめず、どんどん「自分《じぶん》の世界《せかい》」を広《ひろ》げていきましょう。

失敗 VOL. 4

天才《てんさい》ゆえに死《し》にかける

【人物《じんぶつ》】サルバドール・ダリ（一九〇四－一九八九年《ねん》）
【出身地《しゅっしんち》】スペイン【どんなことをした人《ひと》？】画家《がか》

わたしはダリです。サルバドール・ダリと言《い》います。

サルバドールとは「救《すく》うもの」という意味《いみ》。きっと、わたしは何《なに》かを救《すく》うものとして、生《う》まれてきたのでしょう。でも、それが何《なに》かはわかりません。だって、わたしは死《し》んでしまったのですから。2才《さい》になる前《まえ》、肺炎《はいえん》という病気《びょうき》で、わたしは死《し》んでしまいましたから。

＊＊＊＊

わたしはダリだ？　サルバドール・ダリだ。2番目《ばんめ》のサルバドール・ダリ、それがわたしだ。

わたしの両親《りょうしん》は、おさなくして死《し》んだ兄《あに》を悲《かな》しみ、わたしにも同《おな》じ名前《なまえ》を付《つ》けた。両親《りょうしん》はわたしを愛《あい》してくれた。しかし、その愛《あい》は、わたしにではなく、死《し》んだ兄《あに》に向《む》けられたものだった。だから、わたしは、わたし自身《じしん》で、わたしを愛《あい》することにしたのである。おかげで、わたしは、どうやら世間《せけん》では「変人《へんじん》」とよばれる人間《にんげん》になってしまったようだ。

だが、それがどうした！　これを見《み》よ！　これが、わたしという変人《へんじん》の頭《あたま》から生《う》まれた絵《え》だ！

わたしの絵《え》を見《み》た多《おお》くの人《ひと》が「意味《いみ》がわからない」と言《い》う。それはそうだろう。わたしにもわからないのだから。でも、わかりづらいが、わからないでもない。そんなわたしの絵《え》のみりょくに、多《おお》くの人《ひと》が取《と》りつかれた。そう、わたしこそ、20世紀《せいき》、最高《さいこう》の画家《がか》なのである。

だが、ゆえに、大変《たいへん》なこともある。最高《さいこう》の画《が》家《か》は、自分自身《じぶんじしん》が「芸術《げいじゅつ》」でなくてはいけないからだ。たとえば、水《みず》あめで上向《うわむ》きに固《かた》めたこのヒゲ。どうだい？ すばらしいだろう？

こんなふうに、わたしは作品《さくひん》だけでなく、わたし自身《じしん》をも人《ひと》に楽《たの》しんでもらうことで、その一生《いっしょう》を芸術家《げいじゅつか》として生《い》きた。

失敗《しっぱい》？ 芸術家《げいじゅつか》に失敗《しっぱい》などない！ 真《しん》の芸術家《げいじゅつか》は、自《みずか》らの失敗《しっぱい》も芸術《げいじゅつ》へと変《か》えることができる！

でも、あのときは、ちょっと失敗《しっぱい》したかも……。

【特技《とくぎ》】
絵画《かいが》だけでなく、彫刻《ちょうこく》、写真《しゃしん》、作《さく》文《ぶん》も得意《とくい》だった
【精神《せいしん》】
フロイトの思想《しそう》に強《つよ》くえいきょうを受《う》けた
【アチャ〜〜】
バタ
バタ
!?
【代表作《だいひょうさく》】
『記憶《きおく》の固執《こしつ》』『眠《ねむ》り』
【妻《つま》】
おくさんのガラを愛《あい》し、死《し》ぬまで頭《あたま》が上《あ》がらなかった。ガラがなくなった次《つぎ》の年《とし》、ダリは絵《え》をかくことをやめてしまった
【ペット】
ヒョウににた小型《こがた》のヤマネコ「オセロット」や、アリクイなどをかっていた

ヘンな絵《え》をかく、ヘンな人《ひと》だと思《おも》われていたダリは、じっさいに、ヘンなことをたくさんしています。頭《あたま》にフランスパンをのせて、「新《あたら》しいリーゼントヘアだ」と言《い》ったり、カリフラワーをいっぱいにつめこんだ車《くるま》で大学《だいがく》にあらわれたり……。

そんなヘンな行動《こうどう》が行《い》きすぎた結果《けっか》、ダリはこんな失敗《しっぱい》をしています。

1936年《ねん》、ロンドンで「シュールレアリスム展《てん》」が開《ひら》かれ、ダリは集《あつ》まった人《ひと》たちの前《まえ》で話《はな》すことになりました。こうなると、何《なに》かしないと気《き》がすまないのがダリ。水中《すいちゅう》にもぐるための潜水服《せんすいふく》に身《み》をつつみ、2ひきの犬《いぬ》を連《つ》れ、手《て》にはビリヤードでボールをつく道具《どうぐ》「キュー」を持《も》って登場《とうじょう》しました。

潜水服《せんすいふく》は「心《こころ》の中《なか》に深《ふか》くもぐる」ということを表《あらわ》していたそうですが、犬《いぬ》とキューに関《かん》しては、まったく意味《いみ》がわかりません。

でも、そんなことにはかまわず、話《はな》すダリ。ただ、頭《あたま》まですっぽり潜水服《せんすいふく》におおわれているので、その声《こえ》はまったく聞《き》こえません。そのうち、だんだんとダリの様子《ようす》がおかしくなってきます。手《て》をばたつかせて、こうふんしているようなそのすがたに、みんな大笑《おおわら》い。

でも、見《み》ていたひとりが気《き》づきました。ダリの顔《かお》が、ひどく苦《くる》しそうなのです。空気《くうき》がもれないように作《つく》られている潜水服《せんすいふく》の中《なか》で、なんとダリは息《いき》ができなくなっていたのです。

結局《けっきょく》、助《たす》け出《だ》されたのは、その5分後《ふんご》。息《いき》ができずに生《い》きられる、ギリギリの時間《じかん》でした。

つまり、もしかしたらダリは自分《じぶん》が考《かんが》えた悪《わる》ふざけで、死《し》んでいたかもしれなかったのです。

こんな失敗《しっぱい》をするほど、ヘンな行動《こうどう》ばかりしていたダリですが、じつは、ふだんはものすごく気《き》が弱《よわ》くて、まじめな人《ひと》だったそうです。それが、なぜたくさんの人《ひと》の前《まえ》に出《で》ると、ヘンなことをしてしまうのか。ダリはこんな言葉《ことば》を残《のこ》しています。

「天才《てんさい》をえんじきっていれば、天才《てんさい》になれる」

つまり、天才《てんさい》である自分《じぶん》をこわさないように、わざとヘンな人《ひと》のふりをしていたというのです。

人間《にんげん》、だれしも「ちょっとヘンなことをしてみたい」という気持《きも》ちがあるものです。

もちろん、人《ひと》をきずつけるようなことは、いけません。また、ダリのように、ヘンなことをやりすぎて、まわりにめいわくをかけるのも、やめておいたほうがいいでしょう。

でも、ただ人《ひと》を楽《たの》しませたいと思《おも》っているのに、「いやがられたらどうしよう」とか「意味《いみ》わかんないって言《い》われるかも」などと不安《ふあん》に思《おも》い、やめてしまっているなら、こう考《かんが》えてみましょう。「もしかしたら、自分《じぶん》は天才《てんさい》かもしれない」と。

自分《じぶん》の中《なか》にかくれているかもしれない才能《さいのう》を開《ひら》くためには、不安《ふあん》な気持《きも》ちをいっさいもたず、自分《じぶん》のやりたいようにやってみることが必要《ひつよう》です。人《ひと》からみとめられる前《まえ》に、自分《じぶん》の才能《さいのう》を信《しん》じてあげられるのは、自分《じぶん》だけなのです。

そこで、ダリを見習《みなら》い、「自分《じぶん》は天才《てんさい》かもしれない」と思《おも》いこめば、それ以上《いじょう》考《かんが》える必要《ひつよう》がなくなり、自由《じゆう》に、のびのびとやりたかったことができるようになります。

じつは「天才《てんさい》」という言葉《ことば》は、自分《じぶん》を自由《じゆう》にしてくれる「まほうの言葉《ことば》」でもあるのです。

そして、やりたかったことをやってみて、満《まん》足《ぞく》と同時《どうじ》に「もっとできる」という気持《きも》ちになれたら、才能《さいのう》が開《ひら》き始《はじ》めた合図《あいず》。その後《ご》も続《つづ》けていけば、ダリの言《い》う「天才《てんさい》をえんじきっていれば、天才《てんさい》になれる」の言葉《ことば》が、本当《ほんとう》になることでしょう。

ただし、くれぐれも命《いのち》だけは大事《だいじ》にしてくださいね。

失敗 VOL. 5 グレる

【人物《じんぶつ》】ベーブ・ルース（一八九五－一九四八年《ねん》）
【出身地《しゅっしんち》】アメリカ【どんなことをした人《ひと》?】プロ野球選手《やきゅうせんしゅ》

1948年《ねん》6月《がつ》13日《にち》。アメリカ、ニューヨークにある野球場《やきゅうじょう》ヤンキースタジアムでは、スタジアムができて25年目《ねんめ》を祝《いわ》うイベントが開《ひら》かれていました。

ひとりの男《おとこ》が登場《とうじょう》しました。ベーブ・ルース53才《さい》。ガンにおかされ、立《た》つこともやっとの体《からだ》。男《おとこ》は、バットをつえがわりにして体《からだ》をささえながら、何万人《なんまんにん》ものファンがおくる「今《いま》までありがとう」の声《こえ》にこたえました。

そして、この日《ひ》が、男《おとこ》がスタジアムに立《た》った最後《さいご》の日《ひ》となりました。2か月後《げつご》の8月《がつ》16

日《にち》、「野球《やきゅう》の神様《かみさま》」とよばれたベーブ・ルースは、天《てん》に帰《かえ》ったのです。

ベーブ・ルースはヒーローでした。40才《さい》で21年《ねん》のプロ野球人生《やきゅうじんせい》を終《お》えましたが、その間《かん》に打《う》ったホームランの数《かず》は714本《ほん》。当時《とうじ》、大《だい》リーグの歴史《れきし》の中《なか》で、これほどたくさんのホームランを打《う》った選手《せんしゅ》はいませんでした。そして、この記録《きろく》は、39年間《ねんかん》も守《まも》られ続《つづ》けたのです。

打《う》った打球《だきゅう》が大《おお》きな曲線《きょくせん》をえがき、スタンドにほうりこまれる。少《すこ》し太《ふと》った、あいきょうのある体《からだ》から生《う》み出《だ》されるダイナミックなホームランは、野球《やきゅう》の新《あら》たなみりょくとして、アメリカ人《じん》をねっきょうさせました。

ちなみに、ベーブ・ルースの本名《ほんみょう》は、ジョージ・ハーマン・ルース・ジュニア。ベーブとは「赤《あか》ちゃん」という意味《いみ》。なぜ、かれはベーブ・ルースとよばれたのでしょうか。

野球選手《やきゅうせんしゅ》になったばかりのベーブ・ルースは、子《こ》どもっぽい行動《こうどう》ばかりしていました。初《はじ》めてエレベーターに乗《の》ったとき、はしゃいでとびらにはさまれたり、世間《せけん》のことを何《なに》も知《し》らなかったり……。そんなところから「赤《あか》ちゃんルース」と名付《なづ》けられたのです。

では、どうしてルースはものを知《し》らず、子《こ》どものような行動《こうどう》を取《と》っていたのでしょう？ それには、かれが子《こ》どものころにおかした、ある失敗《しっぱい》が関係《かんけい》しています。

【アチャ〜〜〜】

【態度《たいど》】

新聞記者《しんぶんきしゃ》などに対《たい》しては、ものすごくたいどが悪《わる》かったが、子《こ》どもには超《ちょう》やさしかった。めぐまれない子《こ》どものための活動《かつどう》も行《おこな》っていた

【代表作《だいひょうさく》】

入院《にゅういん》しているファンの子《こ》どものおみまいに行《い》き「明日《あした》、君《きみ》のためにホームランを打《う》ってあげる」と約束《やくそく》をして、本当《ほんとう》にホームランを打《う》ったという伝説《でんせつ》。他《ほか》、数々《かずかず》の大《だい》リーグ新記録《しんきろく》

【二刀流《にとうりゅう》】
じつは、もともとピッチャーとして入《にゅう》団《だん》していた。21才《さい》から、すでにエース級《きゅう》のかつやくをし、プロ5年目《め》の1918年《ねん》には、バッターとしてホームラン王《おう》をとった上《うえ》に、ピッチャーとして「29回連続無失点《かいれんぞくむしってん》」という大記録《だいきろく》も達成《たっせい》している

【体《からだ》】

太《ふと》りすぎて、良《よ》い成績《せいせき》を残《のこ》せなかった年《とし》もある

じつは、子《こ》どものころのルースは、とんでもない不良《ふりょう》少年《しょうねん》だったのです。

母親《ははおや》は病気《びょうき》がちで、父親《ちちおや》はお店《みせ》の仕事《しごと》がいそがしく、子《こ》どものめんどうもまともに見《み》ることができない。そんなかんきょうで育《そだ》ったルースは、さみしさからか、道《みち》を大《おお》きくふみ外《はず》してしまったのです。

わずか7才《さい》で、タバコをすうわ、お酒《さけ》を飲《の》むわ。トラックにタマゴを投《な》げつけ、ときには、けいかんをバカにしたりもする……。もちろん、学校《がっこう》なんてまともに行《い》かない。ケンカもすれば、ぬすみもする。これが、後《のち》に「野球《やきゅう》の神様《かみさま》」とよばれるベーブ・ルースの少年時代《しょうねんじだい》です。

考《かんが》えてもみてください。みんなが7才《さい》くらいのとき、まわりにお酒《さけ》を飲《の》み、タバコをすい、けいかんにきたない言葉《ことば》を言《い》ったりするような子《こ》はいましたか？　いませんよね。そう考《かんが》えると、ルースがどれほどの不良少年《ふりょうしょうねん》だったか、わかると思《おも》います。

ここまでひどいと、さすがに両親《りょうしん》も手《て》に負《お》えません。ルースは、とうとう家《いえ》を追《お》い出《だ》され「セント・メアリー校《こう》」というところに入《い》れられてしまいます。

ここは、悪《わる》い子《こ》どもの心《こころ》と態度《たいど》を直《なお》す「更生《こうせい》施設《しせつ》」で、きそく正《ただ》しい生活《せいかつ》に勉強《べんきょう》、そして働《はたら》くために必要《ひつよう》なぎじゅつを教《おし》えてくれる学《がっ》校《こう》でした。ルースはここで、7才《さい》から19才《さい》までの12年間《ねんかん》をすごし、その間《かん》、テレビや新聞《しんぶん》などをあまり見《み》なかったため、社会《しゃかい》で起《お》きたニュースや世《よ》の中《なか》のことを知《し》らずに育《そだ》ちました。

それが、後《のち》の子《こ》どもっぽい行動《こうどう》につながり、ベーブ・ルースとよばれるようになったのです。

さて、不良《ふりょう》になるという大失敗《だいしっぱい》によって、更正《こうせい》施設《しせつ》に入《い》れられてしまったルースですが、ここで、ひとりの人物《じんぶつ》と出会《であ》います。

その人《ひと》の名《な》は、ブラザー・マシアス・バウトラー。更正施設《こうせいしせつ》で生徒《せいと》に勉強《べんきょう》などを教《おし》える神《しん》父《ぷ》です。身長《しんちょう》193センチ、体重《たいじゅう》110キロ、美《うつく》しい顔立《かおだ》ちの大男《おおおとこ》。マシアス神父《しんぷ》は、多《おお》くのものをルースにあたえました。まずは「学《がく》力《りょく》」。そして、「愛情《あいじょう》」。これまで大人《おとな》をバカにしていたルースも、マシアス神《しん》父《ぷ》の深《ふか》い愛《あい》にだんだんと心《こころ》を開《ひら》き、ついには、マシアス神父《しんぷ》を父親《ちちおや》のようにしたうようになります。

そして、もうひとつ、マシアス神父《しんぷ》がルースにあたえてくれたもの。それが「野球《やきゅう》」です。

マシアス神父《しんぷ》は、休《やす》み時間《じかん》も、ルースに野《や》球《きゅう》を教《おし》えました。ルースの才能《さいのう》を見《み》ぬいたのか、とにかく熱心《ねっしん》に教《おし》えるマシアス神父《しんぷ》の期待《きたい》にこたえるように、ルースはどんどん野球《やきゅう》がうまくなっていきました。

そして、19才《さい》の時《とき》。たまたま、ルースの試合《しあい》を見《み》ていた大《だい》リーグの選手《せんしゅ》が、チームのかんとくにれんらくします。

「すごい選手《せんしゅ》がいる!」

こうして、伝説《でんせつ》のホームランバッター「ベーブ・ルース」が生《う》まれたのです。

もし、マシアス神父《しんぷ》と出《で》会《あ》わなければ、ルースはど

うなっていたでしょう？　野球《やきゅう》を知《し》ることもなく、更《こう》正施設《せいしせつ》をぬけ出《だ》し、不良《ふりょう》のまま生《い》きていたかもしれません。

人生《じんせい》は、人《ひと》との出会《であ》いによって大《おお》きく変《か》わります。そして、良《よ》い出会《であ》いにめぐまれるほど、人《ひと》は大《おお》きく成長《せいちょう》できます。では、どうすれば、人《ひと》との出会《であ》いにめぐまれるのでしょう。

それは、いろいろなタイプの人《ひと》と友《とも》だちになることです。人《ひと》は、ついつい同《おな》じしゅみをもつ人《ひと》や、同《おな》じような性格《せいかく》の人《ひと》とばかり付《つ》き合《あ》いがちです。でも、自分《じぶん》とちがうタイプの人《ひと》は、自分《じぶん》の知《し》らない楽《たの》しいこと、すごいことをたくさんもっています。こういう人《ひと》たちと付《つ》き合《あ》うと、自分《じぶん》の世界《せかい》がグーンと広《ひろ》がり、知《し》り合《あ》う人《ひと》もふえ、その結果《けっか》、良《よ》い出会《であ》いにめぐまれやすくなります。

だれでも中学生《ちゅうがくせい》くらいになると、まわりに反発《はんぱつ》したくなり、子《こ》ども時代《じだい》のルースのようになってしまうこともあります。こうなると、ついつい悪《わる》い仲間《なかま》とばかり遊《あそ》びがちになりますが、いろいろなタイプの人《ひと》と友《とも》だちになろうとする気持《きも》ちだけは、わすれないでください。そうすれば、ルースにとってのマシアス神父《しんぷ》のように、自分《じぶん》の人生《じんせい》を大《おお》きく開《ひら》いてくれる人《ひと》ときっと出会《であ》えるはずです。

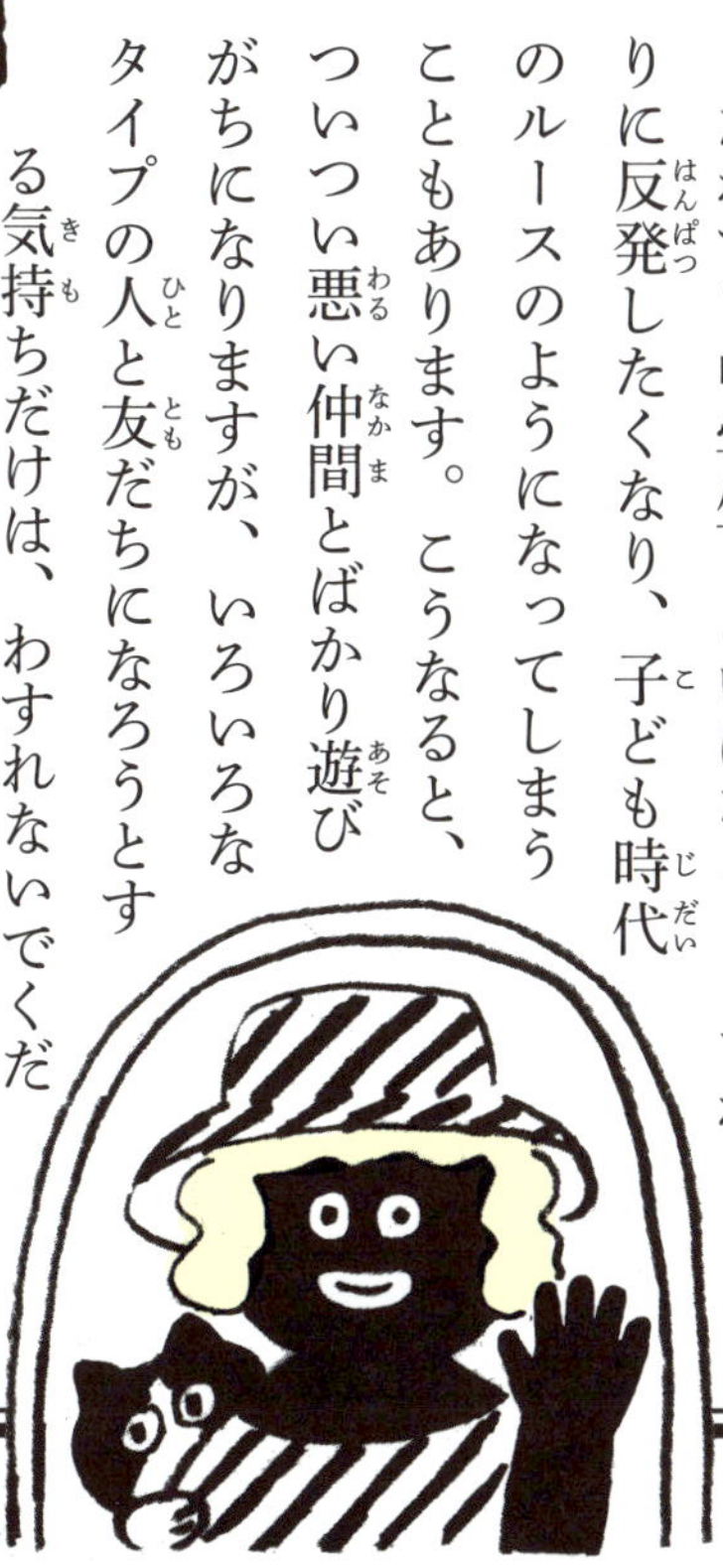

SPECIAL

特集 No.1

プチ失《しっ》敗《ぱい》図《ず》鑑《かん》【小《ちい》さな失《しっ》敗《ぱい》の治《なお》し方《かた》】

この本《ほん》は、偉人《いじん》たちの大《おお》きな失敗《しっぱい》をたくさんしょうかいしています。

でも、みんながふだん出合《であ》うのは、もっと小《ちい》さな失敗《しっぱい》ですよね。学校《がっこう》にちこくした。教《きょう》科書《かしょ》をわすれた。だれもが、そんな小《ちい》さな失敗《しっぱい》を重《かさ》ねながら毎日《まいにち》をすごしています。人生《じんせい》は失敗《しっぱい》だらけ！　だから、失敗《しっぱい》しても、いちいち気《き》にする必要《ひつよう》なんてありません。

とはいえ、何度《なんど》も同《おな》じ失敗《しっぱい》をくりかえしていると、自分《じぶん》がイヤになることも……。

そんなときのために、ふだんの生活《せいかつ》でよく起《お》こる小《ちい》さな失敗《しっぱい》の治《なお》し方《かた》を、ちょっぴりしょうかいしておきます。

No.1 おくれる失敗

(OKURERU SHIPPAI)

【治《なお》し方《かた》】

きそく正《ただ》しい生活《せいかつ》を送《おく》っている人《ひと》は、めったにおくれることはありません。ついつい、おくれちゃう人《ひと》は、毎日《まいにち》のねる時間《じかん》と起《お》きる時間《じかん》をしっかり決《き》めて、それを守《まも》ることから始《はじ》めてみましょう。

(WASURERU SHIPPAI)

わすれる　失敗　No. 2

【治《なお》し方《かた》】

わすれやすい人《ひと》は、手《て》に書《か》いちゃいましょう。書《か》くと、わすれづらくなります。はずかしい？　それなら、すぐに消《け》しましょう。それでも、インクのあとを見《み》れば思《おも》い出《だ》せるので、だいじょうぶです。

(KOKERU SHIPPAI)

コケる　失敗　No. 3

【治《なお》し方《かた》】

きんにくが発達《はったつ》していない子《こ》どものうちは、どうしてもコケやすいものです。コケるのがイヤなら、何《なに》かスポーツを始《はじ》めるか、毎日外《まいにちそと》で元気《げんき》に遊《あそ》びましょう。これだけで、コケないきんにくが発達《はったつ》します。

(KOBOSU SHIPPAI)

こぼす

失敗 No. 4

【治《なお》し方《かた》】

コップをたおしたり、食《た》べ物《もの》を落《お》としたりするのは、じつは、ちゃんと見《み》ていないだけ。飲《の》む時《とき》、食《た》べる時《とき》に、注《ちゅう》意《い》して物《もの》を見《み》るようにする。それが当《あ》たり前《まえ》になれば、こぼし生活《せいかつ》とはおさらばです。

(KOWASU SHIPPAI)

こわす

失敗 No. 5

【治《なお》し方《かた》】

世《よ》の中《なか》は、こわれやすいものばかりです。ガラス、お皿《さら》、機械《きかい》、人《ひと》の心《こころ》……。こわさないようにするためには、相《あい》手《て》を大切《たいせつ》に思《おも》うこと。その物《もの》の良《よ》いところを見《み》つけて、なるべく愛《あい》してください。

（USO WO TSUKU SHIPPAI）

ウソをつく 失敗 No.6

SP

【治《なお》し方《かた》①】

みんなを笑《わら》わせるために、じっさいのできごとを少《すこ》し大《おお》きく話《はな》すウソ。人《ひと》をきずつけないために、本当《ほんとう》の気持《きも》ちをかくすウソ。このようなウソなら、とくに気《き》にする必要《ひつよう》はありません。

【治《なお》し方《かた》②】

自分《じぶん》のことをすごいと思《おも》ってほしいウソ、人《ひと》をだますウソ、失敗《しっぱい》をごまかすウソは、悪《わる》いウソです。これを治《なお》す方法《ほうほう》は、たったひとつ。ウソがバレて人《ひと》にきらわれるなど、苦《にが》い思《おも》いをけいけんすることです。

【治《なお》し方《かた》③】

ただ、悪《わる》いウソには、ときに自分《じぶん》の「なりたいすがた」がかくされていることもあります。もし、それに気《き》づいたら、そのウソがいつか本当《ほんとう》になって「ウソのような本当《ほんとう》」を言《い》う人《ひと》になれるよう、がんばりましょう。

VOL. 6

失敗 引《ひ》きこもる

【人物《じんぶつ》】夏目漱石《なつめそうせき》（一八六七－一九一六年《ねん》）
【出身地《しゅっしんち》】日本《にほん》【どんなことをした人《ひと》？】小説家《しょうせつか》、英文学者《えいぶんがくしゃ》

今《いま》も世界《せかい》に多《おお》くの読者《どくしゃ》をもつ、日本《にほん》を代表《だいひょう》する作家《さっか》、夏目漱石《なつめそうせき》。では、ご本人《ほんにん》に自己《じこ》しょうかいをしてもらいましょう。

吾輩《わがはい》は夏目金之助《なつめきんのすけ》である。名前《なまえ》はもう名乗《なの》った。
吾輩《わがはい》は、ゆうしゅうな学生《がくせい》だった。とはいえ、勉強《べんきょう》ばかりしていたわけではない。友《とも》にもめぐまれ、よく遊《あそ》んだ。それが吾輩《わがはい》の学生時代《がくせいじだい》である。

吾輩《わがはい》は夏目漱石《なつめそうせき》である。名前《なまえ》は友人《ゆうじん》の正岡子規《まさおかしき》からもらった。
吾輩《わがはい》は、学校《がっこう》を出《で》た後《あと》、愛媛県《えひめけん》の松山《まつやま》で中学校《ちゅうがっこう》の英語《えいご》の先生《せんせい》をしていた。吾輩《わがはい》が「“I love you”《アイラブユー》という英語《えいご》は、“月《つき》がきれいですね”くらいに訳《やく》すのが日本人《にほんじん》の感覚《かんかく》と合《あ》っている」と言《い》ったという話《はなし》は、このときのものである。

吾輩《わがはい》は猫《ねこ》である。名前《なまえ》はまだ無《な》い。

吾輩《わがはい》が初《はじ》めて書《か》いた小説《しょうせつ》の書《か》き出《だ》しがこれである。タイトルは『吾輩《わがはい》は猫《ねこ》である』。そのまんまである。ネコから見《み》た人間《にんげん》世界《せかい》のおかしさをえがき、多《おお》くの人《ひと》からよろこんでもらえた。こうして、吾輩《わがはい》は人気《にんき》作家《さっか》となったのである。

吾輩《わがはい》は「先生《せんせい》」である。名前《なまえ》は付《つ》けなかった。

吾輩《わがはい》が書《か》いた『こころ』という小説《しょうせつ》がある。これは、「先生《せんせい》」とよばれる人《ひと》の心《こころ》もようを書《か》いた話《はなし》である。この小説《しょうせつ》は人間《にんげん》の心《こころ》の深《ふか》い部分《ぶぶん》にふれていると言《い》われ、今《いま》でも多《おお》くの人《ひと》に読《よ》みつがれているようである。

吾輩《わがはい》は失敗《しっぱい》している。それをこれからしょうかいする。

日本《にほん》を代表《だいひょう》する小説家《しょうせつか》となった吾輩《わがはい》であるが、とうぜん、失敗《しっぱい》もしている。自分《じぶん》で言《い》うのも何《なん》だが、かなりはずかしい失敗《しっぱい》である。その失敗《しっぱい》は、吾輩《わがはい》が英語《えいご》の先生《せんせい》から小説家《しょうせつか》になるまでの間《あいだ》に起《お》きたできごとである。

アチャ〜

【アチャ〜〜】

Hello!!

Are You OK?

【健康《けんこう》】

すぐ心《こころ》の病気《びょうき》になる
【代表作《だいひょうさく》】

『吾輩《わがはい》は猫《ねこ》である』『坊《ぼ》っちゃん』『こころ』

【クセ】

小説《しょうせつ》を書《か》きながら鼻毛《はなげ》をぬくクセがあった。ぬいた鼻毛《はなげ》は、原稿用《げんこうよう》紙《し》にペタッとはりつけていたらしい英《えい》語《ご》の先生《せんせい》だった漱石《そうせき》は、あるとき、国《くに》からこんな話《はなし》をもらいます。

「イギリスのロンドンに行《い》って、英語《えいご》についてもっと学《まな》んできてくれないか？」

今《いま》のように、だれもが気軽《きがる》に海外《かいがい》に行《い》ける時《じ》代《だい》ではなかったので、漱石《そうせき》は日本人《にほんじん》が英語《えいご》を学《まな》ぶことの意味《いみ》になやんでいましたが、この話《はなし》を受《う》けることにしました。

長《なが》い船旅《ふなたび》の末《すえ》、たどりついたロンドン。しかし、ツラいげんじつが待《ま》っていました。

ロンドンの町《まち》は、空気《くうき》がきたなすぎて、のどがおかしくなる。でも、そんな町《まち》を歩《ある》く人《ひと》たちは、みなせが高《たか》く、美《うつく》しい顔《かお》だちの人《ひと》ばかり。めずらしく小《ちい》さくてきたない男《おとこ》がいると思《おも》ったら、鏡《かがみ》にうつった自分《じぶん》だった……。さらに、国《くに》からもらったお金《かね》だけでは、生活《せいかつ》するにも足《た》りず、まずしさから、みじめな気分《きぶん》は強《つよ》まるばかり。

そしてなんと、英語《えいご》の先生《せんせい》だった自分《じぶん》の英語《えいご》が、まったく通《つう》じない！

知《し》らない町《まち》で、話《はなし》が通《つう》じない人《ひと》に囲《かこ》まれてくらす……。もともとなやみがちだった漱石《そうせき》の心《こころ》は落《お》ちこみ、やがて外《そと》に出《で》るのもイヤになり、ついには、部屋《へや》から一歩《いっぽ》も出《で》なくなってしまいます。

そうなのです。漱石《そうせき》はロンドンの町《まち》で、今《いま》で言《い》う「引《ひ》きこもり」になってしまったのです。

そんな漱石《そうせき》のじょうきょうを知《し》った国《くに》の人《ひと》は、「夏目漱石《なつめそうせき》がおかしくなってしまった。こりゃ、とっとと日本《にほん》に帰《かえ》さねば」と、漱石《そうせき》をつれもどすことにしました。

英語《えいご》を研究《けんきゅう》するために、国《くに》からお金《かね》をもらい、わざわざイギリスまで行《い》ったのに、結局何《けっきょくなに》もできずに帰国《きこく》した漱石《そうせき》。まさに、大失敗《だいしっぱい》でした。

しかし、その後《ご》、漱石《そうせき》は友人《ゆうじん》から、心《こころ》のツラさが少《すこ》しでもやわらぐのではないかと、小説《しょうせつ》を書《か》くことをすすめられます。こうして生《う》まれたのが『吾輩《わがはい》は猫《ねこ》である』です。その後《あと》も、漱石《そうせき》は立《た》て続《つづ》けに作品《さくひん》を発表《はっぴょう》し、一気《いっき》に人気《にんき》小説家《しょうせつか》となっていったのです。

ロンドンでの大失敗《だいしっぱい》があったからこそ、小説家《しょうせつか》・夏目漱石《なつめそうせき》が生《う》まれ、数々《かずかず》の名作《めいさく》が生《う》まれたわけです。

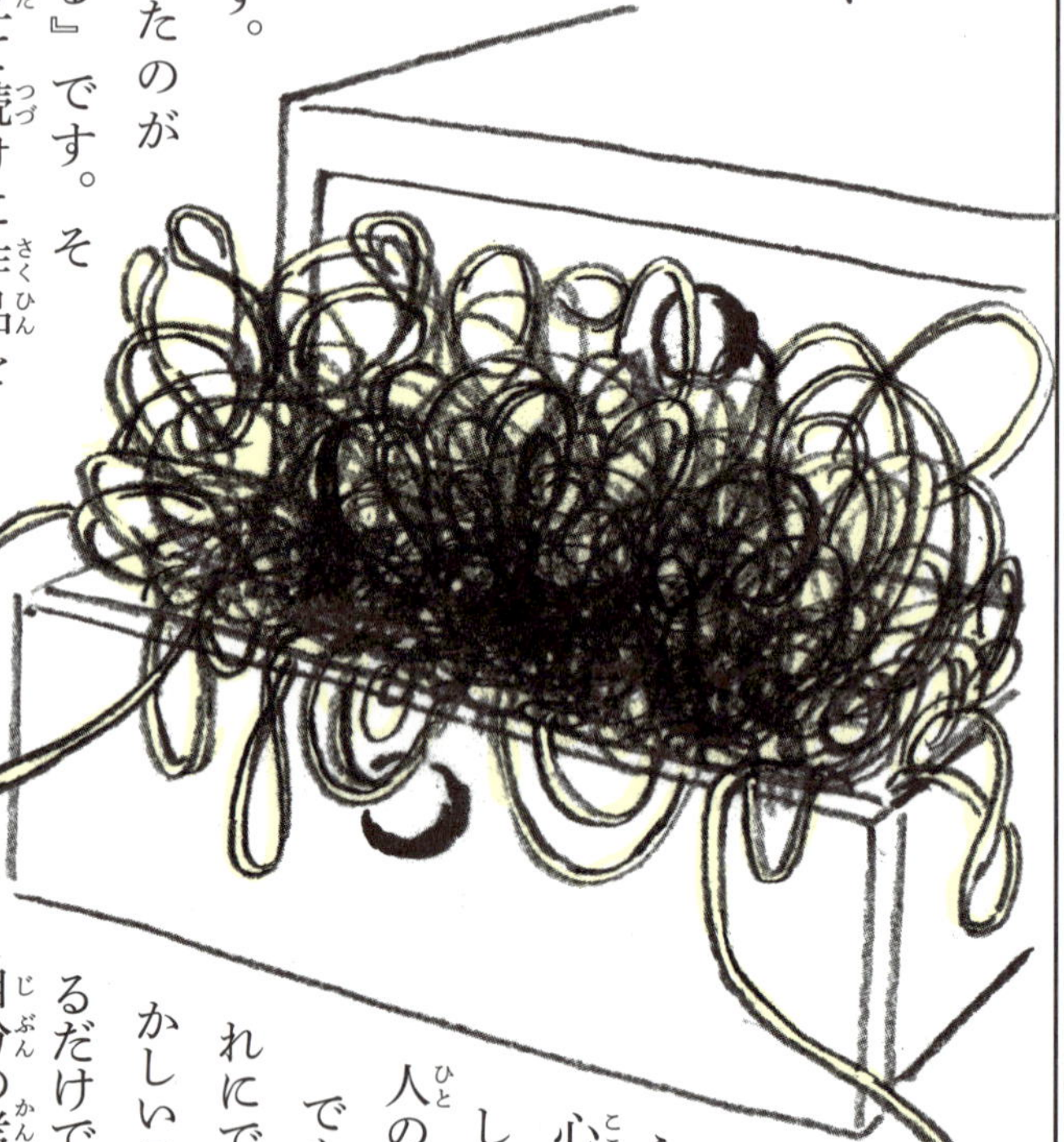

もともと、漱石《そうせき》はよく考《かんが》える人《ひと》でした。考《かんが》えすぎて心《こころ》がツラくなっても、ずっとしんけんに、世《よ》の中《なか》について、人《ひと》の心《こころ》について考《かんが》え続《つづ》けました。

でも、ただ考《かんが》えるだけなら、だれにでもできます。どんなにむずかしいことを考《かんが》えたとしても、考《かんが》えるだけでは何《なん》の意味《いみ》もないのです。自分《じぶん》の考《かんが》えたことを形《かたち》にする。表現《ひょうげん》する。これが大切《たいせつ》です。

みんなも、これから何《なに》かについて考《かんが》

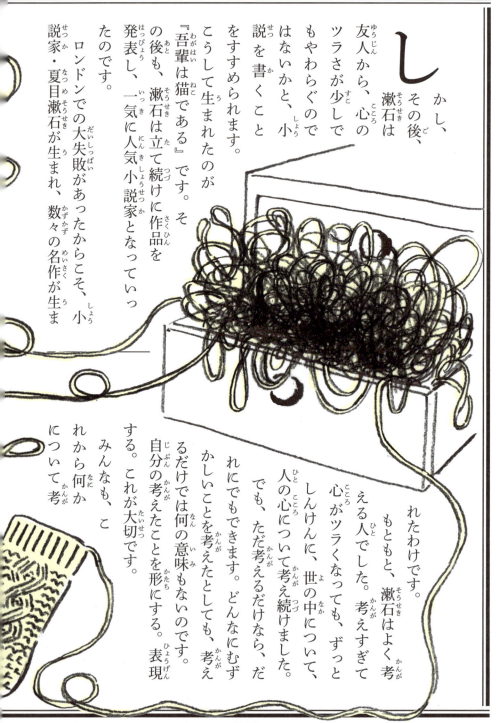

えすぎてしまったり、深《ふか》くなやみすぎてしまって、心《こころ》がつかれてしまうことがあるかもしれません。その心《こころ》のモヤモヤは、決《けっ》して悪《わる》いものではありませんが、あまりにモヤモヤが大《おお》きくなると、意味《いみ》もなくイライラして人《ひと》に当《あ》たったり、自分《じぶん》が何《なに》もできない人間《にんげん》だと落《お》ちこんでしまったりして、ただツラいだけの人生《じんせい》になりかねません。

だから、大《おお》きくなりすぎたモヤモヤは、何《なに》か新《あたら》しいことを始《はじ》めて、発散《はっさん》させましょう。自分《じぶん》が何《なに》に向《む》いているのかは、始《はじ》めてみるまでだれにもわかりません。でも、自分《じぶん》に向《む》いているものと出合《であ》えたとき、モヤモヤが一気《いっき》に形《かたち》になっていくのがわかるはずです。

漱石《そうせき》が、小説《しょうせつ》を書《か》くことで、深《ふか》く深《ふか》く考《かんが》えていたことを形《かたち》にしていったように、みんなも、頭《あたま》の中《なか》のモヤモヤが大《おお》きくなったと感《かん》じたときは、いろいろなことにチャレンジして、自分《じぶん》のモヤモヤを形《かたち》にできる方法《ほうほう》を見《み》つけましょう。

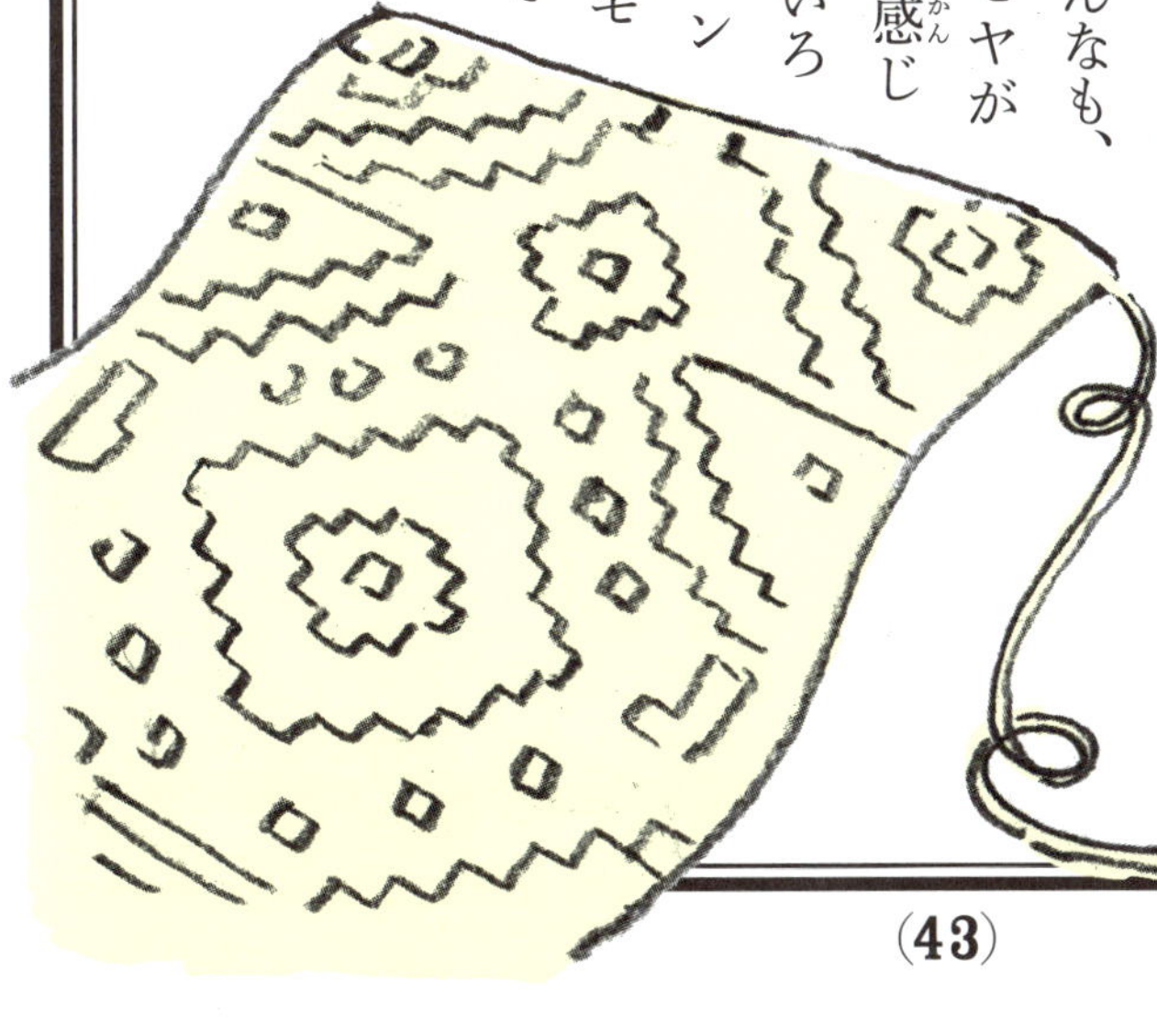

失敗 VOL. 7 人《ひと》の意《い》見《けん》が聞《き》けない

【人物《じんぶつ》】ジークムント・フロイト（一八五六－一九三九年《ねん》）
【出身地《しゅっしんち》】オーストリア【どんなことをした人《ひと》？】精神医学者《せいしんいがくしゃ》

何《なに》かにぶつかったときや、だれかにたたかれたとき、「いたい！」と感《かん》じるのはどうしてでしょう？ それは、体中《からだじゅう》にはりめぐらされた神経《しんけい》が、しげきを感《かん》じ取《と》り、脳《のう》にじょうほうを送《おく》るからです。

でも、体《からだ》に何《なに》もしげきがなく、神経《しんけい》におかしいところもないのに、いたみを感《かん》じる人《ひと》がいます。今《いま》から百年以上《ひゃくねんいじょう》も前《まえ》、このような人《ひと》は「ヒステリー」とよばれ、お医者《いしゃ》さんたちをなやませていました。

そんな中《なか》、あるひとりの医者《いしゃ》がこんな方法《ほうほう》を見《み》つけました。

その方法《ほうほう》とは、「わすれていた」「わすれたいと思《おも》っていた」できごとを本人《ほんにん》に話《はな》させるというもの。そうすると、なぞのいたみをうったえていた人《ひと》が、ケロリと元気《げんき》

になったのです。

この方法《ほうほう》を発見《はっけん》した医者《いしゃ》の名《な》は、ジークムント・フロイト。かれは、こんなことが起《お》こる理由《りゆう》について、こう考《かんが》えました。

それからフロイトは、「心《こころ》には、まだまだかくされたひみつがある」と、心《こころ》の研究《けんきゅう》にはげむようになりました。

自分《じぶん》の心《こころ》は、自分《じぶん》が一番《いちばん》よくわかっている。そう思《おも》いがちですが、じつは、それは心《こころ》のほんの一部《いちぶ》。それ以外《いがい》の、自分《じぶん》でもよくわからない部分《ぶぶん》を、フロイトは「無意識《むいしき》」と名付《なづ》け、その無意識《むいしき》こそが、わたしたちの気持《きも》ちや行動《こうどう》を決《き》めていると考《かんが》えました。

このような研究《けんきゅう》は、今《いま》では「心理学《しんりがく》」とよばれています。そう、フロイトの研究《けんきゅう》は、後《のち》に算数《さんすう》や国語《こくご》のような学問《がくもん》のひとつとして、みとめられたのです。

まさに心《こころ》のプロフェッショナルだったフロイトですが、それでも、失敗《しっぱい》からはのがれられなかったようです。

【アチャ〜〜】

【思考《しこう》】
すべての行動《こうどう》は性的《せいてき》欲求《よっきゅう》によってしはいされている！

【好物《こうぶつ》】
たばこがやめられず、たばこのせいで死《し》んでしまった

【代表作《だいひょうさく》】
『ヒステリー研究《けんきゅう》』『夢判断《ゆめはんだん》』『精神分析《せいしんぶんせき》入門《にゅうもん》』

心《こころ》の研究《けんきゅう》に人生《じんせい》をささげたフロイト。でも、心《こころ》という、これまでになかったものの研究《けんきゅう》は、なかなか周囲《しゅうい》にみとめてもらえませんでした。それでも負《ま》けずにがんばり続《つづ》けたことで、少《すこ》しずつ、いっしょに研究《けんきゅう》してくれる仲間《なかま》がふえていきました。日夜《にちや》、多《おお》くの仲間《なかま》がフロイトのもとに集《あつ》まり、心《こころ》について話《はな》し合《あ》うようになったのです。

でも、ここで、フロイトは失敗《しっぱい》しました。

心《こころ》の研究《けんきゅう》は、まだまだ始《はじ》まったばかり。わからないことも多《おお》かったので、仲間《なかま》たちもいろいろな考《かんが》えをもっていました。たとえば、自分《じぶん》が「ほしい」「したい」と思《おも》うことを欲求《よっきゅう》と言《い》いますが、フロイトは「欲求《よっきゅう》によって、気持《きも》ちが作《つく》られる。だから、欲求《よっきゅう》を知《し》ることで、人《ひと》の心《こころ》がわかる」と考《かんが》えました。

しかし、仲間《なかま》の中《なか》には、「欲求《よっきゅう》以外《いがい》から生《う》まれる気持《きも》ちもあるはずだ」と考《かんが》える人《ひと》もいたのです。

そのような、自分《じぶん》とはちがう意見《いけん》を、フロイトはみとめようとはしませんでした。むりやり、自分《じぶん》の考《かんが》えに当《あ》てはめようとしたのです。

「それはまちがっている。それは私《わたし》の説《せつ》で言《い》うところの、これにあたり……」

このようなことが続《つづ》いたため、フロイトをそんけいしてやってきた多《おお》くの人《ひと》が、やがて、フロイトのもとから去《さ》っていきました。

そう、心《こころ》のプロだったフロイトですが、自分《じぶん》の頑固《がんこ》な心《こころ》をおさえることができず、大切《たいせつ》な仲間《なかま》を失《うしな》っていたのです。

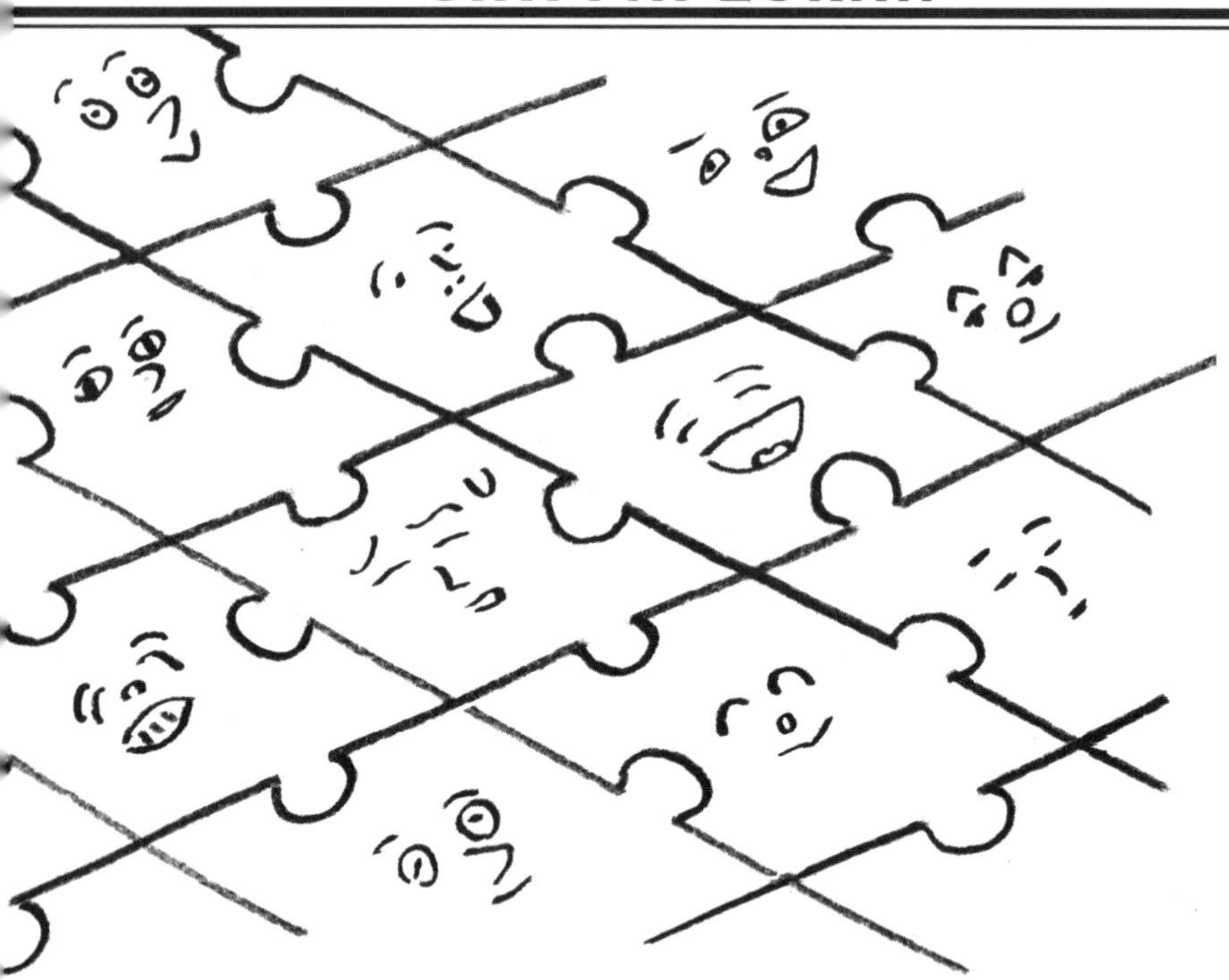

人《ひと》には、「どうしてもゆずれない部分《ぶぶん》」があるものです。フロイトにとってそれは、自分《じぶん》の長年《ながねん》の研究《けんきゅう》の中《なか》からみちびき出《だ》した、心《こころ》のしくみだったのでしょう。それを否定《ひてい》されることは、自分自身《じぶんじしん》を否定《ひてい》されることと同《おな》じくらい、ツラいことだった。だから、仲間《なかま》の意見《いけん》をかんたんに受《う》け入《い》れることは、できなかったのです。

その結果《けっか》、フロイトとはちがう心《こころ》のしくみを考《かんが》えた人《ひと》たちは、フロイトからはなれていきました。その中《なか》には、ユングやアドラーなど、後《のち》に世界的《せかいてき》な心理学者《しんりがくしゃ》となる人《ひと》もいました。

このような人《ひと》たちとケンカ別《わか》れをしたことは、たしかに、もったいないことだったかもしれません。しかし、ユングもアドラーも、フロイトからはなれ、自分《じぶん》の力《ちから》で研究《けんきゅう》を続《つづ》けたことで、

心理学《しんりがく》の世界《せかい》は大《おお》きく広《ひろ》がり、今《いま》も多《おお》くの人《ひと》に学《まな》ばれる学問《がくもん》へと成長《せいちょう》したのです。

そう考《かんが》えると、フロイトがどうしてもゆずれない部分《ぶぶん》を守《まも》りぬいたことは、失敗《しっぱい》ではなく、むしろ成功《せいこう》だったとも言《い》えます。

そもそも、人《ひと》と人《ひと》とのつながりは、出会《であ》いと別《わか》れをくりかえしながら、たえず変《か》わっていくものです。

これからみんなも、友《とも》だちや仲間《なかま》と意見《いけん》が合《あ》わず、ケンカ別《わか》れをすることがあるかもしれません。仲良《なかよ》くできないということは、とても悲《かな》しいことです。でも、自分《じぶん》がいっしょうけんめいに考《かんが》えて、出《だ》した答《こた》え。そして、その答《こた》えを何《なに》よりも大切《たいせつ》に思《おも》っているなら、それをすててまで、だれかと仲良《なかよ》くする必要《ひつよう》はないのかもしれません。

失敗 VOL.8

正《しょう》直《じき》すぎて炎《えん》上《じょう》した

【人物《じんぶつ》】与謝野晶子《よさのあきこ》（一八七八－一九四二年《ねん》）
【出身地《しゅっしんち》】日本《にほん》【どんなことをした人《ひと》？】歌人《かじん》、作家《さっか》

明《めい》治《じ》時代《じだい》。今《いま》から百年《ひゃくねん》ほど前《まえ》のこの時代《じだい》は、今《いま》とちがい、男《おとこ》は外《そと》で働《はたら》き、女《おんな》は家《いえ》を守《まも》るのが当《あ》たり前《まえ》。それどころか、女性《じょせい》は自分《じぶん》の気持《きも》ちを大《おお》っぴらに語《かた》ることすら、ほとんどゆるされない。そんな時代《じだい》でした。

でも、与謝野晶子《よさのあきこ》は、語《かた》りました。自分《じぶん》の心《こころ》を、自分《じぶん》の思《おも》いを、熱《あつ》く美《うつく》しい言葉《ことば》にのせ、多《おお》くの人《ひと》に見《み》せたのです。たとえば、左《ひだり》の歌《うた》を読《よ》んでみてください。

少女《おとめ》ごころは　秘《ひ》めて放《はな》たじ

これは、与謝野晶子《よさのあきこ》が初《はじ》めて出《だ》した歌集《かしゅう》『みだれ髪《がみ》』にある歌《うた》のひとつです。ちょっとわかりづらいですが、今《いま》の言葉《ことば》にするとこうなります。

シャンプーで　サラリとほどける髪《かみ》きれい
それでも乙女《おとめ》は　心語《こころがた》らず

意味《いみ》は「わたしはこれだけ髪《かみ》を美《うつく》しくしているの。あなたのために。でも、あなたへの思《おも》いを語《かた》ることは、決《けっ》してありませんのよ」といった感《かん》じです。

このように、短《みじか》い言葉《ことば》で、深《ふか》い心《こころ》の内《うち》を表《あらわ》すのが「歌人《かじん》」の仕事《しごと》。与謝野晶子《よさのあきこ》は、明治《めいじ》から昭和《しょうわ》にかけてかつやくした、女流歌人《じょりゅうかじん》です。

『みだれ髪《がみ》』で、恋《こい》する女性《じょせい》のおくゆかしい心《こころ》を美《うつく》しく表《あらわ》した晶子《あきこ》は、人気作家《にんきさっか》となり、その後《ご》も多《おお》くの作品《さくひん》を発表《はっぴょう》しました。歌以外《うたいがい》にも、千年以上昔《せんねんいじょうむかし》に書《か》かれた小説《しょうせつ》『源氏物語《げんじものがたり》』を当時《とうじ》の言葉《ことば》に直《なお》したり、日本《にほん》で初《はじ》めて男女《だんじょ》がいっしょに学《まな》ぶ学校作《がっこうづく》りに参加《さんか》したりと、パワフルな一生《いっしょう》をすごしました。

でも、女性《じょせい》が心《こころ》を語《かた》ってはいけない時代《じだい》だったからか、こんな失敗《しっぱい》もけいけんしています。

【アチャ〜〜】

あ、おとうとよ、君《きみ》を泣《な》く
君《きみ》死《し》にたまふことなかれ
末《すえ》に生《う》まれし君《きみ》なれば
親《おや》のなさけはまさりしも
親《おや》は刃《やいば》をにぎらせて
人《ひと》を殺《ころ》せとをしへしや
人《ひと》を殺《ころ》して死《し》ねよとて
二十四《にじゅうし》までをそだてしや

『みだれ髪《がみ》』を発表《はっぴょう》してから3年後《ねんご》の1904年《ねん》、晶子《あきこ》は戦争《せんそう》に行《い》ってしまった弟《おとうと》のことを思《おも》い、ひとつの歌《うた》をよみました。それが、右《みぎ》のページにある「君死《きみし》にたまふことなかれ」です。わかりやすい言葉《ことば》に直《なお》すと、こうなります。

「戦争《せんそう》に行《い》ってしまった弟《おとうと》。どうか死《し》なないでください。末《すえ》っ子《こ》として生《う》まれ、親《おや》からたっぷり愛《あい》をもらって育《そだ》った弟《おとうと》。24才《さい》まで育《そだ》った中《なか》に、人《ひと》を殺《ころ》せという教《おし》えはあったでしょうか？　人《ひと》を殺《ころ》して、自分《じぶん》も死《し》ね。そんなことを教《おそ》わっていたでしょうか？」

大切《たいせつ》な人《ひと》を戦争《せんそう》に取《と》られた人《ひと》なら、だれもが感《かん》じる悲《かな》しみとやりきれなさが、見事《みごと》に表《あらわ》されたこの歌《うた》は、ざっしにのると、やはり大《おお》きなはんのうが返《かえ》ってきました。

「こんなの歌《うた》でもなんでもない！」
「こんな歌《うた》を歌《うた》うなんて、日本人《にほんじん》じゃない！」
「はんざい者《しゃ》として、バツをあたえてほしい！」

なんと、返《かえ》ってきたのは悪口《わるぐち》ばかり！　晶子《あきこ》は、この歌《うた》を発表《はっぴょう》したことで、日本中《にほんじゅう》からせめられ、はんざい者《しゃ》とまで言《い》われてしまったのです。

なぜ、こんなことになってしまったのでしょう。

じつは、このころ、日本《にほん》は中国《ちゅうごく》との戦争《せんそう》に勝《か》ち、続《つづ》いてさらに大《おお》きな国《くに》、ロシアと戦《たたか》っていました。この戦争《せんそう》に勝《か》てば、世界《せかい》から「りっぱな国《くに》」とみとめてもらえる。だから、みんなで戦争《せんそう》をがんばろう！　そう思《おも》うことが当《あ》たり前《まえ》の時代《じだい》でした。

そんな中《なか》、戦争《せんそう》に反対《はんたい》するともとれる歌《うた》を発表《はっぴょう》したため、晶子《あきこ》は、多《おお》くの人《ひと》の反感《はんかん》を買《か》ってしまったのです。

しかし、そんな声《こえ》に負《ま》ける晶子《あきこ》ではありません。すぐに、こんなふうに言《い》い返《かえ》しました。

「戦争《せんそう》で死《し》ねと言《い》うこと。それが教育《きょういく》だからと、当《あ》たり前《まえ》のように言《い》うこと。そのような考《かんが》えのほうが、よっぽどきけんです」

たしかに、生《い》きることや死《し》ぬことを、自分《じぶん》の考《かんが》えもなしに「戦争《せんそう》なんだから当《あ》たり前《まえ》」ですませてしまうなんて、おそろしいことです。

また、自分《じぶん》の歌人《かじん》としての心《こころ》がまえについても、はっきりと伝《つた》えました。

「わたしは、まことの心《こころ》をまことの言葉《ことば》で表《あらわ》すことしか、歌《うた》の作《つく》り方《かた》を知《し》りません」

正直《しょうじき》な心《こころ》を美《うつく》しい言葉《ことば》で表《あらわ》したとき、その言《こと》葉《ば》は人《ひと》の心《こころ》にささります。反対《はんたい》に、うその心《こころ》をどんなに美《うつく》しい言葉《ことば》で表《あらわ》しても、人《ひと》の心《こころ》にはとどきません。そう、正直《しょうじき》な心《こころ》から生《う》まれた言葉《ことば》だけが、人《ひと》の心《こころ》にささる歌《うた》をつむげるのです。

しかし、心《こころ》にささる言葉《ことば》は、ときに、ささった人《ひと》をこまらせることがあります。それは、その人《ひと》が自分《じぶん》の心《こころ》にうそをついているとき。晶子《あきこ》の「君死《きみし》にたまふことなかれ」の言葉《ことば》は、

じつは「戦争《せんそう》は正《ただ》しい」と信《しん》じる人《ひと》たちの心《こころ》にも、グサリとささりました。しかし、その人《ひと》たちは、自分《じぶん》の信《しん》じるものがまちがいだとは思《おも》いたくないため、一度《いちど》心《こころ》にささった言葉《ことば》を、必《ひっ》死《し》にぬこうとしたのです。

心《こころ》にささった言葉《ことば》をぬくためには、その言《こと》葉《ば》をうそにするしかない。だから、戦争《せんそう》にさんせいする人《ひと》が多《おお》かったこの時代《じだい》、晶子《あきこ》はたくさんの人《ひと》から「お前《まえ》はまちがっている」と悪口《わるぐち》を言《い》われてしまったのです。

でも、これ、晶子《あきこ》は何《なに》も悪《わる》くないですよね？晶子《あきこ》は、自分《じぶん》の正直《しょうじき》な心《こころ》を、そのまま歌《うた》にしただけ。このように、自分《じぶん》は何《なに》も悪《わる》くない失《しっ》敗《ぱい》の場合《ばあい》、じつは、失敗《しっぱい》そのものをチャンスに変《か》えることができます。

じっさいに、晶子《あきこ》は言《い》われた悪口《わるぐち》のおかしなところをしてきし、さらに、自分《じぶん》の歌《うた》を作《つく》るときの心《こころ》がまえをハッキリしめしたことで、歌人《かじん》としての地位《ちい》を高《たか》めることに成功《せいこう》したのです。

「それって、わたしが悪《わる》いの？」

そう思《おも》えることが起《お》こったら、まず、自分《じぶん》の行動《こうどう》をふり返《かえ》ってみましょう。もし、そこにあるのが正直《しょうじき》な心《こころ》だけだったら、その失敗《しっぱい》は、チャンスにすがたを変《か》えてくれるかもしれません。

失敗 VOL.9 「助《たす》けてくれ」と言《い》えない

【人物《じんぶつ》】ルートヴィヒ・ヴァン・ベートーヴェン（一七七〇－一八二七年《ねん》）
【出身地《しゅっしんち》】神聖《しんせい》ローマ帝国《ていこく》（ドイツ）
【どんなことをした人《ひと》？】音楽家《おんがくか》

「ダ
・ダ・ダ・ダーン！　ダ・ダ・ダ・
ダーン！」

この文字《もじ》を読《よ》んだだけでも、思《おも》わずメロディが頭《あたま》にうかんだという人《ひと》も多《おお》いのではないでしょうか？　文字《もじ》だけでメロディがうかぶくらい有名《ゆうめい》なこの曲《きょく》『運命《うんめい》』を作《つく》ったのが、ベートーヴェンという人《ひと》です。

ベートーヴェンが初《はじ》めてこの曲《きょく》をひろうしたのは、今《いま》から200年以上前《ねんいじょうまえ》の1808年《ねん》。つまり、200年以上《ねんいじょう》もの間《あいだ》、この曲《きょく》は人々《ひとびと》の心《こころ》に残《のこ》り続《つづ》けてきたのです。

もちろん、『運命《うんめい》』だけではありません。『田園《でんえん》』『月光《げっこう》』そして、日本《にほん》で年末《ねんまつ》に必《かなら》ず歌《うた》われる『第《だい》九《く》』など、さまざまな名曲《めいきょく》を生《う》み出《だ》しています。

また、ベートーヴェンは、音楽界《おんがくかい》の歴史《れきし》を大《おお》きく変《か》えた人《ひと》でもあります。

ベートーヴェンが音楽家《おんがくか》になる前《まえ》まで、音楽《おんがく》は貴族《きぞく》のものでした。作曲家《さっきょくか》は貴族《きぞく》からお金《かね》をもらって曲《きょく》を作《つく》り、えんそう家《か》は貴族《きぞく》にお金《かね》をもらってえんそうする。これが、それまでの音楽《おんがく》のあり方《かた》でした。

しかし、ベートーヴェンは、貴族《きぞく》からの注《ちゅう》文《もん》を受《う》けず、自由《じゆう》に音楽《おんがく》を作《つく》る道《みち》を選《えら》んだのです。ここから、音楽《おんがく》は今《いま》のように「だれもが楽《たの》しめるもの」へと変《か》わったと言《い》われています。

さらに、もうひとつわすれてはいけないこと。それは、ベートーヴェンが28才《さい》ごろから、ほとんど耳《みみ》が聞《き》こえなくなっていたということです。耳《みみ》が聞《き》こえなければ、ふつう、音楽《おんがく》を作《つく》ることはまず無理《むり》です。しかし、ベートーヴェンは、歯《は》でピアノの音《おと》の「しんどう」を感《かん》じ取《と》るしくみを作《つく》り、それで音《おと》を感《かん》じながら作曲《さっきょく》を続《つづ》けたと言《い》います。

どんなにツラいことにも負《ま》けない心《こころ》を「不《ふ》屈《くつ》」と言《い》いますが、耳《みみ》が聞《き》こえなくなっても作《さっ》曲《きょく》を続《つづ》けたベートーヴェンは、まさに「不《ふ》屈《くつ》の音楽家《おんがくか》」と言《い》えるでしょう。

さあ、こんなにすごい人《ひと》が、いったいどんな失敗《しっぱい》をしているのか、気《き》になりますよね？

【アチャ〜〜】

【CD《シーディー》】

CD《シーディー》が発売《はつばい》された当時《とうじ》、記録《きろく》できる音楽《おんがく》の長《なが》さは74分《ふん》までだった。これは、ベートーヴェンの『第九《だいく》』のえんそう時間《じかん》から決《き》められた

【ファッション】

服《ふく》にこだわりがなく、いつもボロボロの服《ふく》を着《き》ていた

【代表作《だいひょうさく》】

交響曲第《こうきょうきょくだい》5番《ばん》ハ短《たん》調《ちょう》（運命《うんめい》）、交響《こうきょう》曲《きょく》第《だい》6番《ばん》ヘ長調《ちょうちょう》（田園《でんえん》）、交響曲第《こうきょうきょくだい》9番《ばん》ニ短調《たんちょう》（合唱《がっしょう》付《つ》き）

【父親《ちちおや》】

ニート

20代《だい》のころから、耳《みみ》が聞《き》こえづらくなったベートーヴェン。しかし、かれはそのことをだれかに打《う》ち明《あ》けることができませんでした。ベートーヴェンが残《のこ》した手紙《てがみ》には、こう書《か》かれています。

「もっと大《おお》きい声《こえ》で話《はな》してください。さけんでください！　わたしは耳《みみ》が聞《き》こえないのですから！　わたしにはどうしても、そんなことを言《い》うことができなかった……」

7才《さい》のころから、えんそう家《か》としてかつやくし、作曲家《さっきょくか》としても有名《ゆうめい》だったベートーヴェンの耳《みみ》が、聞《き》こえないことが広《ひろ》まったら……。

「ベートーヴェンは、もう終《お》わりだ」「かわいそうに」多《おお》くの人《ひと》がそううわさしたでしょう。

ベートーヴェンは、そんなことはたえられないと思《おも》ったのかもしれません。耳《みみ》が聞《き》こえづらくなってから5年間《ねんかん》、かれはそのことをかくすため、なるべく人《ひと》と会《あ》わないようにくらしたのですが、これが失敗《しっぱい》でした。そんな生活《せいかつ》をしていると知《し》った人々《ひとびと》が、「世間《せけん》ぎらい、人《ひと》ぎらいのベートーヴェン」とうわさしたのです。それを知《し》り、さらに深《ふか》く落《お》ちこんだかれは、こんなことを書《か》き残《のこ》しています。

「わたしは、人《ひと》がきらいなわけではない。世間《せけん》からはなれているのは、耳《みみ》を休《やす》ませるためだ。それなのに、だれもそのことをわかってくれない」

もともと、おこりっぽい性格《せいかく》だったベートーヴェンは、ひとりぼっちな生活《せいかつ》の中《なか》で、いかりを自分自身《じぶんじしん》へと向《む》けるようになりました。聞《き》こえない耳《みみ》をもった自分《じぶん》の運命《うんめい》をのろい、ついには、自分《じぶん》で自分《じぶん》の命《いのち》を終《お》わらせることを考《かんが》えながら生《い》きるようになってしまったのです。

ベートーヴェンが、もし、自分《じぶん》の耳《みみ》が聞《き》こえないことについてみんなに話《はな》していたら、どうなっていたでしょう？

「耳《みみ》が聞《き》こえないから助《たす》けてくれ」とお願《ねが》いすれば、すでに有名人《ゆうめいじん》だったかれのことですから、きっと多《おお》くの救《すく》いの手《て》がさしのべられたはずです。

そう、ベートーヴェンの失敗《しっぱい》は、人《ひと》に助《たす》けを求《もと》められなかったこと。

ひとりぼっちで、心《こころ》の助《たす》けを求《もと》められる人《ひと》がいないようなじょうたいを「孤独《こどく》」と言《い》いますが、ベートーヴェンは、助《たす》けを求《もと》められなかったことで孤独《こどく》になり、生《い》きることすらツラく感《かん》じるようになってしまったのです。

でも、ここでひとつ、みんなに考《かんが》えてもらいたいことがあります。そもそも孤独《こどく》って、そんなに悪《わる》いことなのでしょうか？

たしかに、ベートーヴェンのように、自分《じぶん》の命《いのち》を終《お》わらせたいと思《おも》うほど孤独《こどく》になってしまうのは、きけんです。しかし、人生《じんせい》には、孤《こ》独《どく》にならないと見《み》つけられないものもあります。

ベートーヴェンの場合《ばあい》、それが「音楽《おんがく》」でした。

暗《くら》い場所《ばしょ》にいると、わずかな光《ひかり》でも明《あか》るく感《かん》じるように、心《こころ》も暗《くら》くなるほど、そこに差《さ》しこむひとすじの光《ひかり》を見《み》つけやすくなるものです。

孤独《こどく》と絶望《ぜつぼう》の中《なか》、ベートーヴェンは気《き》づきました。

「自分《じぶん》は音楽《おんがく》という芸術《げいじゅつ》を作《つく》り出《だ》すまで、この世《よ》をみすててはならない」

こうして、これまで以上《いじょう》に作曲《さっきょく》に打《う》ちこむようになり、その結果《けっか》、何百年《なんびゃくねん》たっても色《いろ》あせない、名曲《めいきょく》の数々《かずかず》を生《う》み出《だ》すことに成功《せいこう》したのです。

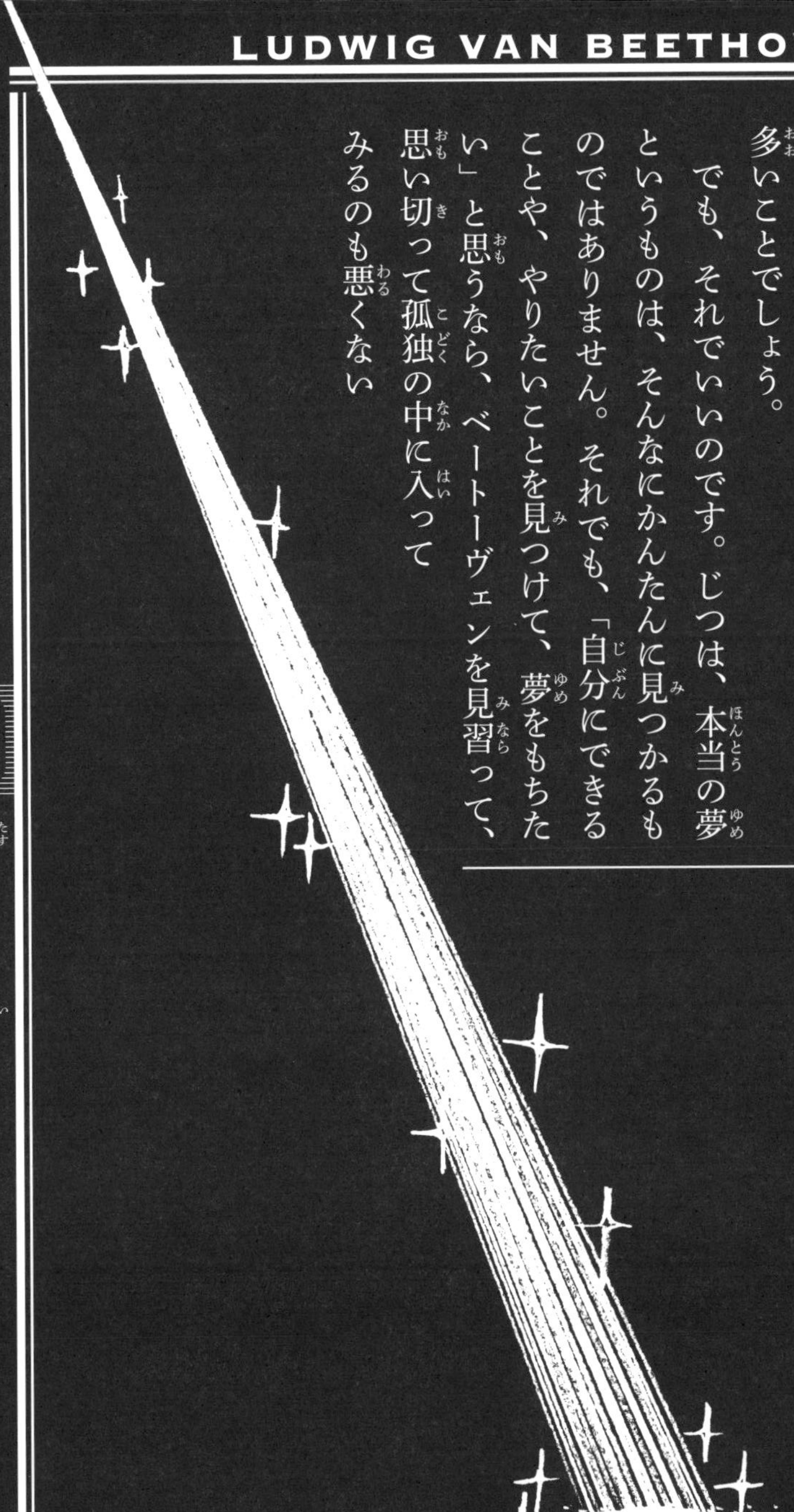

学校《がっこう》に通《かよ》っていると、しょうらいの夢《ゆめ》を聞《き》かれることも多《おお》いと思《おも》います。すでに夢《ゆめ》をもっている人《ひと》もいるかもしれませんが、中《なか》には「夢《ゆめ》なんてない」「わからない」という人《ひと》も、きっと多《おお》いことでしょう。

でも、それでいいのです。じつは、本当《ほんとう》の夢《ゆめ》というものは、そんなにかんたんに見《み》つかるものではありません。それでも、「自分《じぶん》にできることや、やりたいことを見《み》つけて、夢《ゆめ》をもちたい」と思《おも》うなら、ベートーヴェンを見習《みなら》って、思《おも》い切《き》って孤独《こどく》の中《なか》に入《はい》ってみるのも悪《わる》くない方法《ほうほう》です。勇気《ゆうき》を出《だ》して人《ひと》からはなれ、ひとりになって、自分《じぶん》と向《む》き合《あ》う。

じつは、このようにして見《み》つけた夢《ゆめ》のほうが、かないやすかったりします。

失敗 VOL. 10

いばしょを失《うしな》う

【人物《じんぶつ》】スティーブ・ジョブズ（一九五五－二〇一一年《ねん》）
【出身地《しゅっしんち》】アメリカ【どんなことをした人《ひと》？】アップル社《しゃ》をつくった

左《ひだり》にある、時代《じだい》を変《か》えた大《だい》ヒット商品《しょうひん》の数々《かずかず》。これらすべてにかかわっているのが、スティーブ・ジョブズです。

でも、ジョブズが作《つく》ったわけではありません。悪《わる》い言《い》い方《かた》をすれば、作《つく》っている人《ひと》に「もっとこうしたほうがいい」と横《よこ》から口《くち》をはさむだけ。

しかも、これらの商品《しょうひん》は、とくに新《あたら》しかったわけではなく、にたような商品《しょうひん》が、すでにいくつも出《で》ていました。それなのに、ジョブズがかかわると、たちまち世界的《せかいてき》ヒット商品《しょうひん》になってしまうのです。

そのひみつは、強《つよ》いこだわり。ジョブズは、てっていてきに、使《つか》いやすさとデザインにこだわりました。自分《じぶん》が気《き》にいった形《かたち》になるまで、何度《なんど》も何度《なんど》も作《つく》り直《なお》させることは当《あ》たり前《まえ》。作《つく》っている人《ひと》に対《たい》して、ものすごくひどい言葉《ことば》をぶつけることもしょっちゅうでした。

でも、こうして、こだわりぬいて生《う》まれた商《しょう》品《ひん》だからこそ、世界中《せかいじゅう》で愛《あい》されたのです。

こだわりの偉人《いじん》、スティーブ・ジョブズ。でも、そのこだわりによって、ジョブズは大《おお》きな失敗《しっぱい》をけいけんすることになります。

1970

1977【AppleⅡ《アップルツー》発売《はつばい》】

コンピューターは、その昔《むかし》、大学《だいがく》などかぎられた場所《ばしょ》にしかありませんでした。しかし、このパソコンが発売《はつばい》され、ふつうの家《いえ》にもパソコンがおかれる時《じ》代《だい》へと変《か》わりました。

1980

1984【Macintosh《マッキントッシュ》 発売《はつばい》】

ひと目《め》で機能《きのう》がわかる絵《え》（アイコン）を使《つか》った画面《がめん》は、このパソコンから始《はじ》まりました。これにより、パソコンはだれにでも使《つか》いやすいものへと変《か》わりました。

1990

1998【iMac《アイマック》発売《はつばい》】

これまでは、あまり気《き》にされることがなかったパソコンの見《み》た目《め》。そこで登場《とうじょう》したのが、部屋《へや》のインテリアとしても使《つか》える、おしゃれなデザインのこのパソコン。大《だい》ヒットしました。

2000

2001【iPod《アイポッド》 発売《はつばい》】

音楽《おんがく》をデータにして持《も》ち運《はこ》ぶことで、たくさんの音楽《おんがく》を聞《き》ける iPod《アイポッド》。この商品《しょうひん》がヒットしたことで、音楽《おんがく》をCD《シーディー》ではなくデータで買《か》うという時代《じだい》が始《はじ》まりました。

2007【iPhone《アイフォーン》発売《はつばい》】

2010

2017

昔《むかし》のスマートフォンは、キーボードがあるなど「あつかいがむずかしそう」と思《おも》われていました。そこに、画面《がめん》をタッチするだけで使《つか》えるiPhone《アイフォーン》の登場《とうじょう》。多《おお》くの人《ひと》がスマートフォンをもつ時代《じだい》へと変《か》わりました。

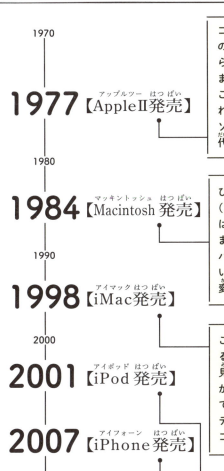

【アチャ〜〜】

【性格《せいかく》】
変人《へんじん》

【趣味《しゅみ》】
日本《にほん》の禅文化《ぜんぶんか》が大好《だいす》き

【ライフスタイル】
部屋《へや》にほとんど物《もの》をおかないミニマリスト

【好物《こうぶつ》】
野菜《やさい》しか食《た》べないベジタリアン

【代表作《だいひょうさく》】
Apple《アップル》 II《ツー》、iMac《アイマック》、iPhone《アイフォーン》など

なんと、ジョブズは自分《じぶん》で作《つく》った会社《かいしゃ》を追《お》い出《だ》されてしまったのです！

ジョブズの会社《かいしゃ》「Apple Computer《アップル コンピュータ》」は、Apple Ⅱ《アップル ツー》が売《う》れたことで、どんどん大《おお》きくなりましたが、Macintosh《マッキントッシュ》を出《だ》した次《つぎ》の年《とし》、たいへんなじたいにおちいってしまいました。Macintosh《マッキントッシュ》は、最初《さいしょ》こそたくさん売《う》れたので、どんどん作《つく》ったところ、すぐに売《う》れなくなり、会《かい》社《しゃ》の売《う》り上《あ》げがドーンと落《お》ちてしまったのです。

経営者《けいえいしゃ》たちはおおあわて。そして、売《う》り上《あ》げが落《お》ちたことを、みんなジョブズのせいにしました。

「経営《けいえい》が悪《わる》くなったのは、君《きみ》のせいだ。君《きみ》はわがまますぎる。そして、口《くち》の悪《わる》さで社員《しゃいん》たちの心《こころ》をきずつける。だから、出《で》て行《い》ってくれないか」

ジョブズはたしかに、まわりの人《ひと》と仲良《なかよ》くするという考《かんが》えがありませんでした。それでも、会社《かいしゃ》がもうかっていればよかったのですが、この時《とき》は、何《なに》かしなければ会社《かいしゃ》があぶない。

こうなると、経営者《けいえいしゃ》たちの目《め》には、平気《へいき》で人《ひと》の悪口《わるぐち》を言《い》い、何度《なんど》も作《つく》り直《なお》しをして商品《しょうひん》をなかなか売《う》り出《だ》せなくするジョブズのふるまいは、会社《かいしゃ》にとって悪《わる》いことのように見《み》えてしかたなかったのです。

ジョブズは、もちろん会社《かいしゃ》の中《なか》で一番《いちばん》エライ人《ひと》でしたが、だからといって何《なん》でも思《おも》い通《どお》りになるわけではありません。経営者全員《けいえいしゃぜんいん》から「出《で》て行《い》け」と言《い》われたら、出《で》て行《い》くしかないのです……。

どれほど人《ひと》とぶつかっても、落《お》ちこむことなんてなかったジョブズでしたが、このときばかりは、絶望的《ぜつぼうてき》な気分《きぶん》になったようです。

しかし、ジョブズは、それで終《お》わるような人間《にんげん》ではありません。

「まわりの連中《れんちゅう》がバカなのが悪《わる》い」

自分《じぶん》ではなく、まわりが悪《わる》いと考《かんが》えたジョブズは、新《あら》たにパソコンの会社《かいしゃ》を作《つく》り、アニメーションの会社《かいしゃ》を買《か》い取《と》りました。このアニメーションの会社《かいしゃ》が、後《のち》にアニメ作《づく》りにかくめいをもたらすことになり、ジョブズは見事《みごと》、ふっかつしたのです。

一方《いっぽう》、ジョブズを追《お》い出《だ》したApple《アップル》は、その後《あと》も売《う》り上《あ》げがもどるどころか、どんどん下《さ》がり続《つづ》けました。このままでは会社《かいしゃ》がつぶれてしまう。そこで、Apple《アップル》が取《と》った最後《さいご》のしゅだんは、なんとジョブズが新《あら》たに作《つく》ったパソコンの会社《かいしゃ》を買《か》い取《と》り、ジョブズをふたたびApple《アップル》の経営者《けいえいしゃ》にするというものでした。

Apple《アップル》にもどったジョブズは、会社《かいしゃ》の経営者《けいえいしゃ》のほとんどを追《お》い出《だ》し、ふたたび、てっていてきに商品《しょうひん》を作《つく》りこみました。

こうしてできたのが、iMac《アイマック》、iPod《アイポッド》、iPhone《アイフォーン》。そして、ジョブズはこれらの商品《しょうひん》でふたたび、世界《せかい》を変《か》えていったのです。

人《ひと》からどう思《おも》われようと、言《い》いたいことは言《い》う。それでいばしょを追《お》われても、自分《じぶん》を変《か》えることはなかったジョブズ。その結果《けっか》、大《おお》きな成功《せいこう》を手《て》に入《い》れたのですが、こんなことは、ふつうの人《ひと》にはなかなかできることではありませ

ん。そのため、ジョブズの失敗《しっぱい》から学《まな》べることは、少《すく》ないかもしれません。

それでも、ひとつだけ、かれの人生《じんせい》から学《まな》べることがあります。ジョブズは、自分《じぶん》の会社《かいしゃ》を追《お》い出《だ》された後《あと》、すぐに新《あたら》しい会社《かいしゃ》を作《つく》りました。

もしかしたら、これからみんなも、小《ちい》さな失敗《しっぱい》でいばしょを無《な》くしてしまうことがあるかもしれません。そのときは、失《うしな》ったいばしょをいつまでも見《み》つめたりせず、新《あたら》しくいばしょを作《つく》るようにしましょう。

もちろん、ジョブズのように新《あたら》しい会社《かいしゃ》を自分《じぶん》で作《つく》るなんてことは、かんたんにはできませんが、きょうみのあるクラブに参加《さんか》したり、習《なら》い事《ごと》を始《はじ》めたりすることで、新《あたら》しいいばしょは、意外《いがい》とかんたんに見《み》つかるものです。

VOL. 11

失敗

悪口《わるぐち》を言《い》う

【人物《じんぶつ》】手塚治虫《てづかおさむ》（一九二八－一九八九年《ねん》）

【出身地《しゅっしんち》】日本《にほん》　【どんなことをした人《ひと》?】マンガ家《か》

日《に》本人《ほんじん》は、マンガが大好《だいす》きです。日本《にほん》のマンガはストーリーがふくざつなものが多《おお》く、子《こ》どもはもちろん、たくさんの大人《おとな》もマンガを楽《たの》しんでいます。

マンガは世界中《せかいじゅう》にあるのに、どうして日本人《にほんじん》はこんなにマンガを愛《あい》しているのでしょう。

そのきっかけを作《つく》ったのが、手塚治虫《てづかおさむ》です。

「マンガの神様《かみさま》」ともよばれる手塚治虫《てづかおさむ》。かれは、どうして神様《かみさま》とよばれるようになったのでしょう?

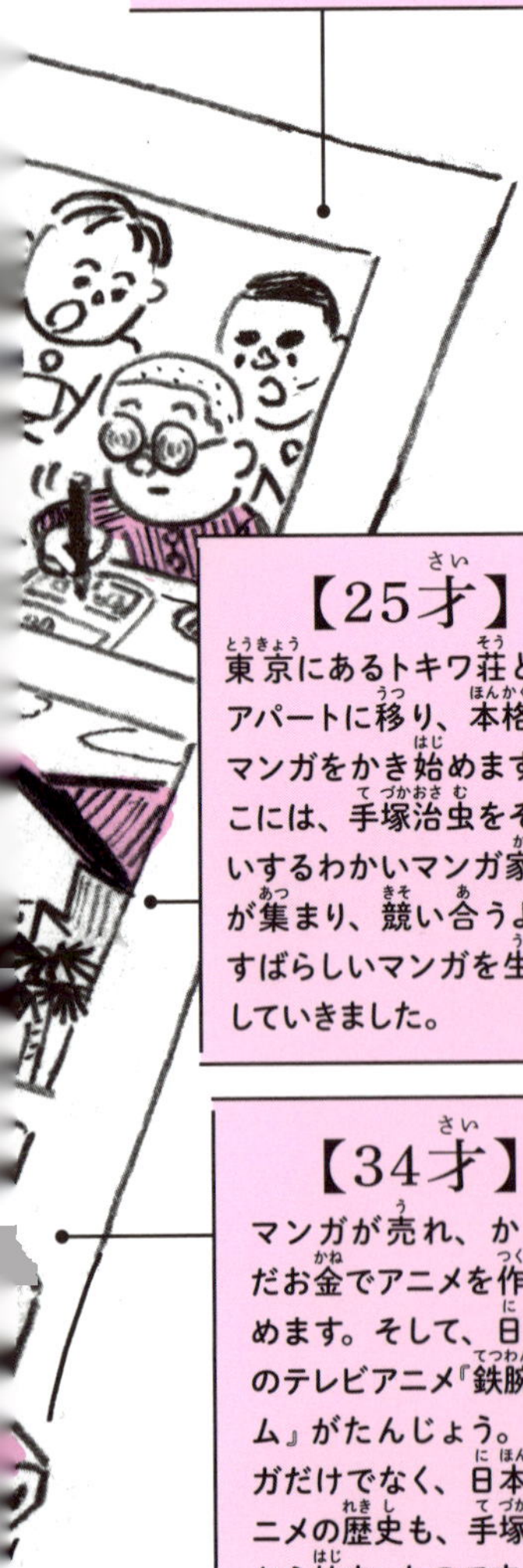

【子《こ》どものころ】

大阪《おおさか》に生《う》まれた治虫《おさむ》は、子《こ》どものころは弱気《よわき》ないじめられっ子《こ》。でも、マンガをかき始《はじ》めると、みんなからそんけいされるようになり、友《とも》だちもたくさんできました。

【25才《さい》】

東京《とうきょう》にあるトキワ荘《そう》というアパートに移《うつ》り、本格的《ほんかくてき》にマンガをかき始《はじ》めます。ここには、手塚治虫《てづかおさむ》をそんけいするわかいマンガ家《か》たちが集《あつ》まり、競《きそ》い合《あ》うようにすばらしいマンガを生《う》み出《だ》していきました。

【34才《さい》】

マンガが売《う》れ、かせいだお金《かね》でアニメを作《つく》り始《はじ》めます。そして、日本初《にほんはつ》のテレビアニメ『鉄腕《てつわん》アトム』がたんじょう。マンガだけでなく、日本《にほん》のアニメの歴史《れきし》も、手塚治虫《てづかおさむ》から始《はじ》まったのです。

【19才《さい》】
戦争《せんそう》という暗《くら》い時代《じだい》を乗《の》りこえ、マンガ家《か》に。そして、今《いま》では当《あ》たり前《まえ》となった、話《はなし》がどんどん続《つづ》いていくストーリーマンガの最初《さいしょ》と言《い》われる『新《しん》寶島《たからじま》』を発表《はっぴょう》。これが大《だい》ヒットし、人気《にんき》マンガ家《か》となります。

【60才《さい》】
体《からだ》を悪《わる》くして病院《びょういん》に入《はい》ってからも、ベッドの上《うえ》でマンガをかき続《つづ》けました。

まさに、マンガにささげた人生《じんせい》。これが「マンガの神様《かみさま》」手塚治虫《てづかおさむ》です。
でも、神様《かみさま》だって、失敗《しっぱい》しています。

【アチャ〜〜〜】

【あだ名《な》】
いつもたくさんの仕事《しごと》をかかえていたため、約束《やくそく》の日《ひ》までに原稿《げんこう》が上《あ》がらないことが多《おお》く、編集者《へんしゅうしゃ》たちから「手塚《てづか》うそ虫《むし》」などとよばれていた

【住《す》みか】
原稿《げんこう》がおくれて、おこった編集者《へんしゅうしゃ》があけた穴《あな》

【好物《こうぶつ》】
チョコレート

【代表作《だいひょうさく》】
『火《ひ》の鳥《とり》』『鉄腕《てつわん》アトム』『リボンの騎《き》士《し》』『ブラックジャック』『ジャングル大帝《たいてい》』『三《み》ツ目《め》がとおる』……などなど

【趣味《しゅみ》】
映画《えいが》を観《み》ること

多《おお》くのヒット作《さく》をもち、日本中《にほんじゅう》の人《ひと》からよろこばれ、そんけいされていた治虫《おさむ》。でも、じつは少《すこ》し子《こ》どもっぽい性格《せいかく》で、ちょっとでも自分《じぶん》よりうまいマンガを見《み》ると、ついついそのマンガをかいた人《ひと》にいやみなことを言《い》っていたそうです。

「こんな絵《え》や話《はなし》なら、ぼくにだってかけるよ」

小《ちい》さい男《おとこ》の子《こ》が、好《す》きな女《おんな》の子《こ》の前《まえ》でつい悪口《わるぐち》を言《い》ってしまう。これと同《おな》じような気持《きも》ちをもち続《つづ》けていたのが、手塚治虫《てづかおさむ》という人《ひと》でした。

この性格《せいかく》のせいで、こんなこまったことにもなりました。

あるとき、有名《ゆうめい》マンガ家《か》の作品《さくひん》の悪口《わるぐち》を、自分《じぶん》のマンガの中《なか》でかいてしまったことがありました。それを見《み》て、そのマンガ家《か》はおこり、治虫《おさむ》の元《もと》にどなりこんできたのです。

治虫《おさむ》は、相手《あいて》の言《い》っていることの正《ただ》しさをみとめ、あやまりましたが、自分《じぶん》のまちがいに気《き》づいたことで、自分《じぶん》のことがきらいになってしまいました。

さらに、そのマンガ家《か》が、その1か月後《げつご》に病気《びょうき》でなくなり、「悲《かな》しむよりホッとした」という気持《きも》ちになってしまったことで、自分《じぶん》の心《こころ》のきたなさがイヤになり、ますます自分《じぶん》のことがきらいになってしまったのです。

しかし、このようなことがあったにもかかわらず、この後《あと》も、ちょこちょこと他《ほか》のマンガ家《か》の悪口《わるぐち》を言《い》っていた治虫《おさむ》。人《ひと》をきずつけ、自分《じぶん》もきずつけ、それでも、何度《なんど》も同《おな》じ失敗《しっぱい》をくりかえしてしまう……。

「マンガの神様《かみさま》」にも、こんなどうしようもない欠点《けってん》があったのです。

そんなふうに、しょっちゅう人《ひと》の悪口《わるぐち》を言《い》っていた治虫《おさむ》は、当然《とうぜん》、まわりの人《ひと》からきらわれていた。と、思《おも》いますよね。

いえいえ、じつはまったくきらわれていなかったのです。

悪口《わるぐち》を言《い》うだけでなく、いそがしくて原稿《げんこう》がおくれることもしょっちゅうだった治虫《おさむ》は、たしかに、多《おお》くの人《ひと》をこまらせてはいました。でも、治虫《おさむ》を知《し》る人《ひと》は、だいたい軽《かる》く笑《え》みをうかべながら「こまった人《ひと》でした」と言《い》うそうです。決《けっ》して、心《こころ》からこまったような顔《かお》はしません。

それはどうしてかというと、みんな知《し》っていたからです。治虫《おさむ》は「すごい」「うらやましい」と思《おも》ったときに、ついつい悪口《わるぐち》を言《い》ってしまう。このクセを、わかっていたのです。

また、「こんな絵《え》や話《はなし》なら、ぼくにもかける」と言《い》うなら、自分《じぶん》のマンガはもっともっとおもしろいものでなければいけなくなります。そう、治虫《おさむ》の悪口《わるぐち》は、ただ人《ひと》を悪《わる》く言《い》うだけでなく、自分《じぶん》の作品《さくひん》をもっと良《よ》いものにするというプレッシャーを、自分自身《じぶんじしん》にあたえるものでもあったのです。

もしかしたら、治虫《おさむ》の悪口《わるぐち》は、かれが死《し》ぬまでおもしろいマンガをかき続《つづ》けることができた理由《りゆう》のひとつなのかもしれません。

さて、だれしも生《い》きていれば、人《ひと》の悪口《わるぐち》のひとつやふたつ、つい口《くち》に出《だ》してしまうものです。

でも、「ただ悪口《わるぐち》を言《い》うだけの人《ひと》」になってはいけません。

たとえば、「あんなのおもしろくない」と言《い》ったのなら、「何《なに》がおもしろいのかを説明《せつめい》する」くらいのことはできなければいけません。「それくらいのことは自分《じぶん》にもできる」と言《い》ったのなら、じっさいに自分《じぶん》もやってみて、できることをしめしましょう。

手塚治虫《てづかおさむ》は、それができた人《ひと》です。

ぎゃくに、それができずに悪口《わるぐち》やいやみを言《い》う人《ひと》は、きびしい言《い》い方《かた》ですが、ものすごくくだらない人間《にんげん》です。

何《なに》もしないし、できないけど、悪口《わるぐち》だけは言《い》う。そんなくだらない人間《にんげん》にならないよう、言《い》った言葉《ことば》のせきにんくらいは取《と》れる人《ひと》になりましょう。そして、それができないなら、しっかりと心《こころ》から相手《あいて》にあやまるようにしましょう。

SPECIAL

No.2 特集

失《しっ》敗《ぱい》相《そう》談《だん》室《しつ》その1

【失《しっ》敗《ぱい》を笑《わら》う】

Q. 人《ひと》の失《しっ》敗《ぱい》を笑《わら》ったら、ダメ？

人《ひと》が失敗《しっぱい》するのを見《み》ると、ついついおかしくて、笑《わら》ってしまいますよね。だから、思《おも》わず笑《わら》ってしまうのは、しかたないことだと思《おも》います。

ただし、それを当然《とうぜん》だと思《おも》い、そのことについて何《なに》も考《かんが》えないでいると、しょうらい、ちょっとこまったことになってしまうかもしれません……。

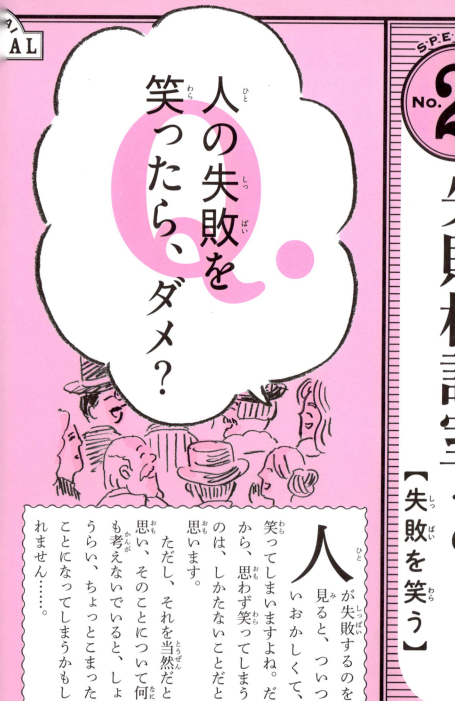

MEIKO

SP

～あのとき感《かん》じた あの気持《きも》ち
名前《なまえ》はないけど、きっとよくないものだと思《おも》う～

メイコ、何点《なんてん》だった？
アタシ73点
いや、ふつう。ちょっとトイレ
笑《わら》われたくない…
ワハハハハ
ハハハハハ
「だれかを笑《わら》った」というけいけんは、ときに「自分《じぶん》は笑《わら》われたくない」というきょうふに変《か》わります
中学校入学《ちゅうがっこうにゅうがく》
ねえ、バレー部《ぶ》入《はい》らない？
バレー部《ぶ》
ハハハハハ
バシッ
わたしはやめとくよ
高校《こうこう》
文化祭「シンデレラ」
だれかシンデレラ役《やく》やる人《ひと》いませんか
ムリ…
ズルル〜
ハハハハハ
大学《だいがく》
ぜひ映画サークルへ
テニスサークル入らない？
……
しゅうしょく活動《かつどう》
○△×◎…メイコです
声小《こえちい》さくて聞《き》こえないよ

失敗《しっぱい》を笑《わら》うと、必《かなら》ずこのお話《はなし》のようになるとはかぎりません。でも、人《ひと》の失敗《しっぱい》を笑《わら》ったことから失敗《しっぱい》をこわがるようになると、この女《おんな》の子《こ》のように、チャンスをつかめない人《ひと》になってしまうことはまちがいありません。「人《ひと》の失敗《しっぱい》を笑《わら》う」というけいけんは、このようなきけんもふくんでいるのです。人《ひと》の失敗《しっぱい》を笑《わら》ってばかりという人《ひと》は、たまには自《みずか》ら失敗《しっぱい》して、人《ひと》から笑《わら》われてみましょう。最《さい》初《しょ》ははずかしいかもしれませんが、なれれば意《い》外《がい》と楽《たの》しいものですよ。

失敗 VOL. 12

得《とく》意《い》なこと以《い》外《がい》、まるでダメ

【人物《じんぶつ》】アルベルト・アインシュタイン（一八七九－一九五五年《ねん》）

【出身地《しゅっしんち》】ドイツ【どんなことをした人《ひと》？】物理学者《ぶつりがくしゃ》

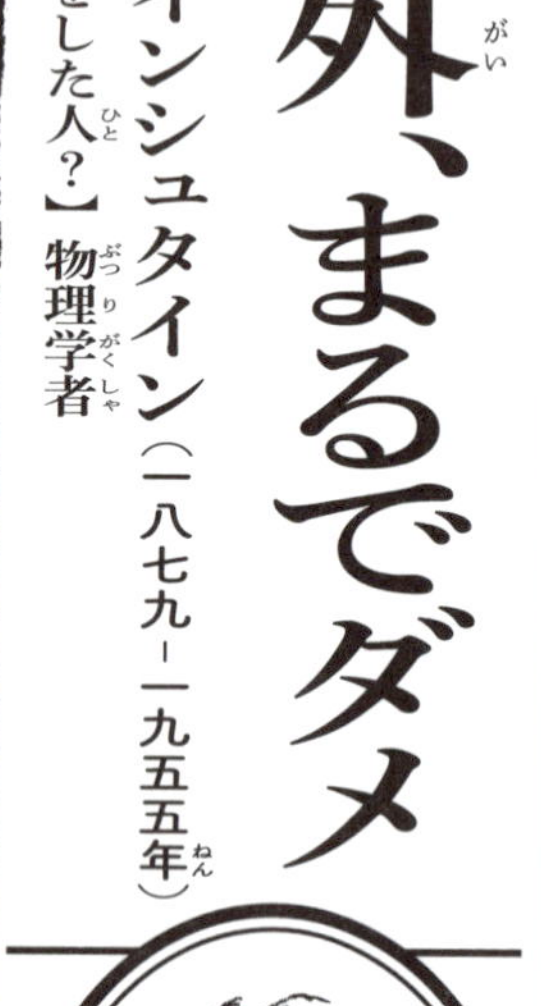

天《てん》才《さい》。この言葉《ことば》にもっともふさわしい人《ひと》こそ、アルベルト・アインシュタインでしょう。

「相対性理論《そうたいせいりろん》」を作《つく》り上《あ》げた人《ひと》として知《し》られていますが、これは、かんたんに言《い》ってしまえば「速《はや》さと重力《じゅうりょく》によって、時間《じかん》の流《なが》れ方《かた》は変《か》わる」という理論《りろん》です。……かんたんじゃないですね。

では、ここで問題《もんだい》です。

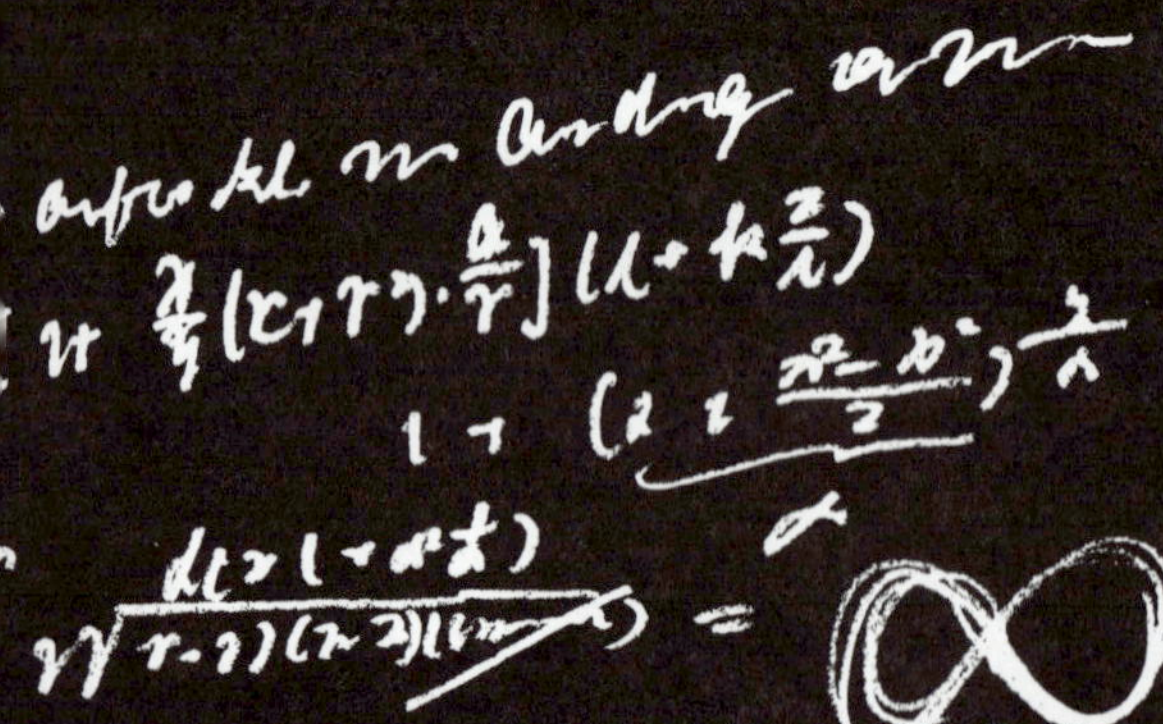

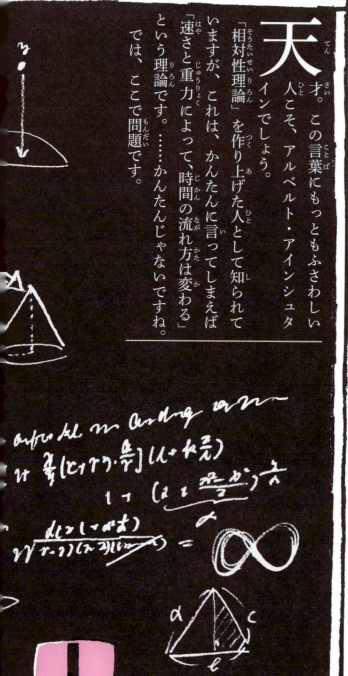

問題《もんだい》

これは未来《みらい》のお話《はなし》です。タカシ君《くん》は、ミクちゃんの家《いえ》に行《い》こうと思《おも》いましたが、ミクちゃんはちがう星《ほし》に住《す》んでいるので、着《つ》くまでに、光《ひかり》の速《はや》さで５分《ふん》ほどかかってしまいます。そこで、タカシ君《くん》は、光《ひかり》の速《はや》さの乗《の》り物《もの》で、ミクちゃんの家《いえ》に行《い》きました。

タカシ君《くん》は出発《しゅっぱつ》する前《まえ》に、ミクちゃんに電話《でんわ》で言《い》いました。「今《いま》から出発《しゅっぱつ》するね」

こうして、ミクちゃんの家《いえ》に向《む》かったタカシ君《くん》。さて、ミクちゃんの家《いえ》まで、何分《なんぷん》かかったでしょう？

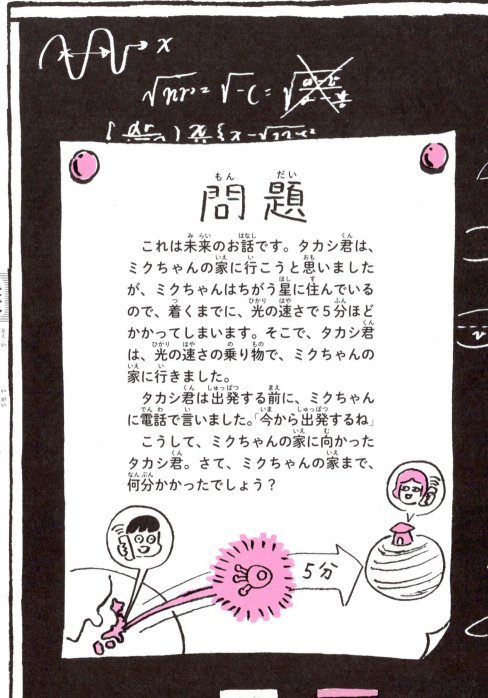

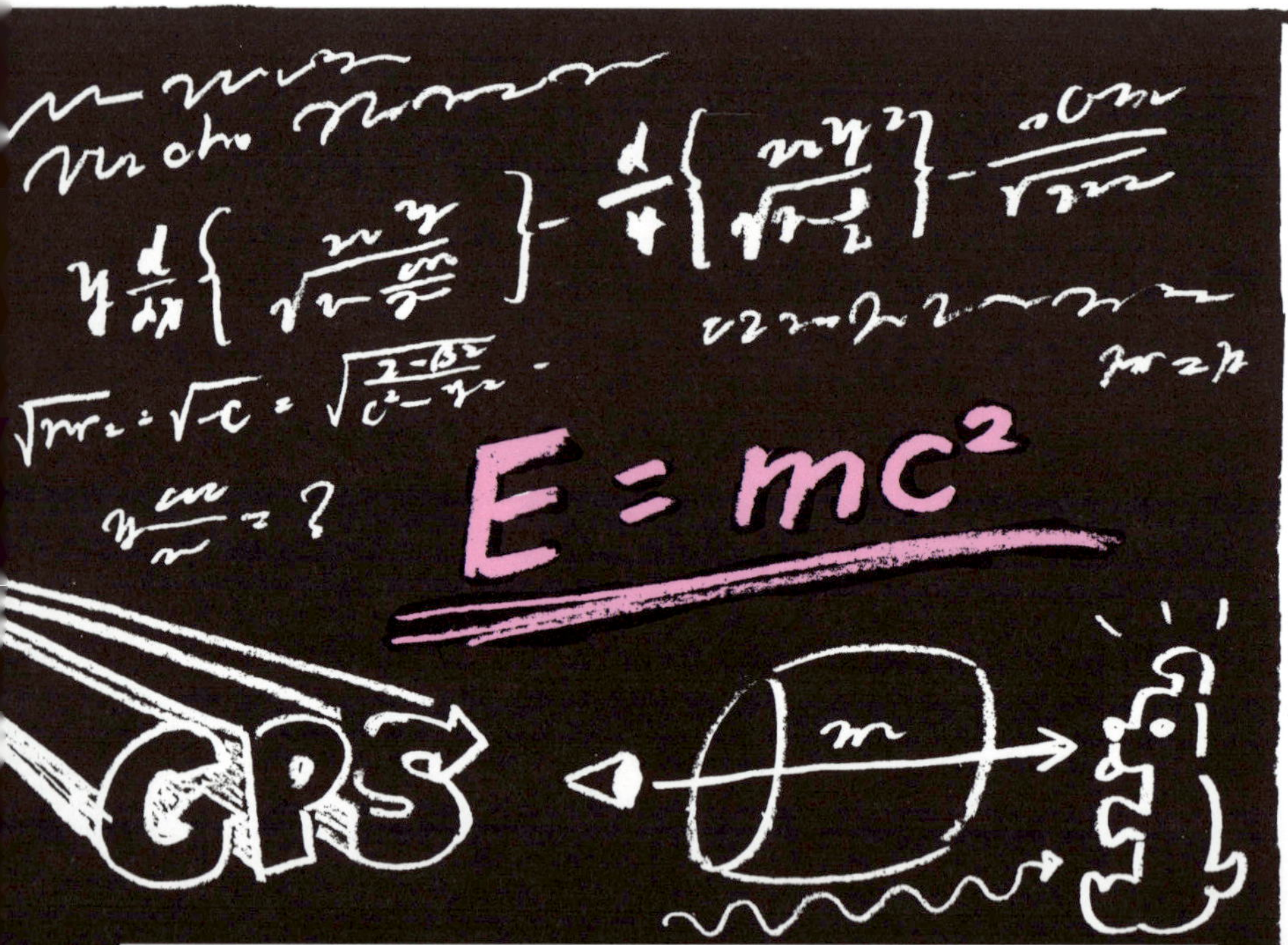

光《ひかり》の速《はや》さで5分《ふん》なら、当然《とうぜん》「5分《ふん》」と、思《おも》いますよね。ところが、答《こた》えは「0分《ふん》」です。

でも、ミクちゃんはタカシ君《くん》が来《く》るまでに5分間《ふんかん》、家《いえ》で待《ま》っていました。タカシ君《くん》は0分《ふん》でミクちゃんの家《いえ》に着《つ》いたのに、ミクちゃんは5分間《ふんかん》タカシ君《くん》を待《ま》った。ふしぎですよね。

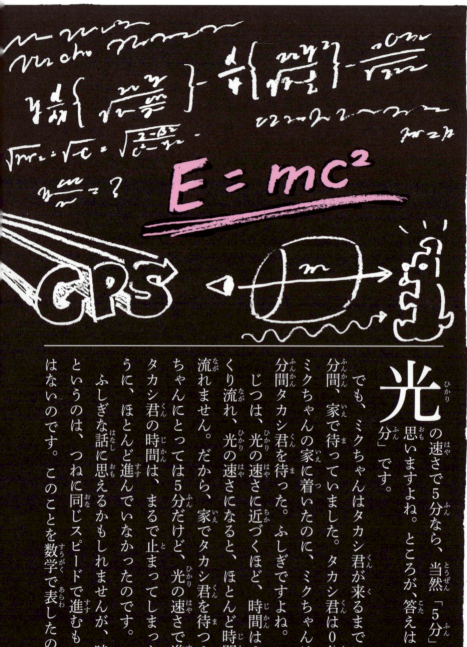

じつは、光《ひかり》の速《はや》さに近《ちか》づくほど、時間《じかん》はゆっくり流《なが》れ、光《ひかり》の速《はや》さになると、ほとんど時間《じかん》は流《なが》れません。だから、家《いえ》でタカシ君《くん》を待《ま》つミクちゃんにとっては5分《ふん》だけど、光《ひかり》の速《はや》さで進《すす》むタカシ君《くん》の時間《じかん》は、まるで止《と》まってしまったように、ほとんど進《すす》んでいなかったのです。

ふしぎな話《はなし》に思《おも》えるかもしれませんが、時間《じかん》というのは、つねに同《おな》じスピードで進《すす》むものではないのです。このことを数学《すうがく》で表《あらわ》したのが、

失敗

得意《とくい》なこと以外《いがい》、まるでダメ

アインシュタインの「相対性理論《そうたいせいりろん》」です。

ふつうに生活《せいかつ》している人《ひと》なら、時間《じかん》の進《すす》み方《かた》にちがいがあるなんて、思《おも》いもしませんよね。「そんなの信《しん》じられない」という人《ひと》だっていると思《おも》います。でも、じっさいに、地球《ちきゅう》を回《まわ》っている人工衛星《じんこうえいせい》に電波《でんぱ》を飛《と》ばして、自分《じぶん》の位置《いち》を調《しら》べる「ＧＰＳ《ジーピーエス》」というシステムは、この時間《じかん》の流《なが》れのちがいを利用《りよう》して作《つく》られています。

ちなみに、発電《はつでん》などで使《つか》われる原子力《げんしりょく》は、アインシュタインが考《かんが》え出《だ》したエネルギーの計算式《けいさんしき》「$E=mc^2$」をヒントに生《う》み出《だ》されました。

あらゆる物《もの》のしくみや動《うご》きを知《し》る学問《がくもん》を「物理学《ぶつりがく》」と言《い》いますが、アインシュタインがあらわれたことによって、物理学《ぶつりがく》は一気《いっき》にドン！と何十年分《なんじゅうねんぶん》も進化《しんか》したと言《い》われています。

【アチャ〜〜】

【後悔《こうかい》】
アインシュタインが生《う》み出《だ》したエネルギーの公式《こうしき》を利用《りよう》して、原子爆弾《げんしばくだん》が作《つく》られたため、アインシュタインは日本《にほん》に来《き》たとき、泣《な》きながらあやまったと言《い》う

【脳《のう》】
死《し》んだ後《あと》のアインシュタインの脳《のう》が、うすくスライスされ、世界各国《せかいかっこく》で保管《ほかん》されているらしい

【代表作《だいひょうさく》】
「光《ひかり》の発生《はっせい》とその変換《へんかん》に関《かん》する発見法的観点《はっけんほうてきかんてん》について」「熱《ねつ》の分子運動論《ぶんしうんどうろん》が要求《ようきゅう》される、静止《せいし》液体中《えきたいちゅう》の微小《びしょう》な粒子《りゅうし》の運動《うんどう》について」「運動《うんどう》する物体《ぶったい》の電気力学《でんきりきがく》について」などの論文《ろんぶん》

【写真《しゃしん》】
有名《ゆうめい》なベロを出《だ》した写真《しゃしん》。これは、笑《わら》った顔《かお》をとられそうになって照《て》れてしまい、それをかくすために、とっさにベロを出《だ》したと言《い》われる

「天《てん》から才能《さいのう》をさずかった人《ひと》」「生《う》まれたときから高《たか》い能力《のうりょく》をもつ人《ひと》」こういう人《ひと》を、天才《てんさい》とよびます。

アインシュタインも、きっと子《こ》どものころから、その天才《てんさい》ぶりを周囲《しゅうい》に見《み》せつけていたことでしょう。

ここで、アインシュタインの小学校時代《しょうがっこうじだい》へ、時間《じかん》をまきもどしてみます。クラスメイトたちがアインシュタインをよんでいます。

「のろま！」「バカ正直《しょうじき》！」

あれ？　天才《てんさい》をよぶには、あまりふさわしくない言葉《ことば》ですね。そうなんです。アインシュタインは、子《こ》どものころ、クラスメイトから完全《かんぜん》にバカにされていたのです。

のろまで、バカ正直《しょうじき》で、ようりょうの悪《わる》い人間《にんげん》。これが、子《こ》ども時代《じだい》のアインシュタイン。

何《なに》をやらせても、のろのろして失敗《しっぱい》。人《ひと》の言《い》うことを何《なん》でも信《しん》じて、失敗《しっぱい》。かんたんにできることも、わざわざめんどうなやり方《かた》をして失敗《しっぱい》。おそらく、そんな子《こ》どもだったのでしょう。

何《なに》しろ、アインシュタインは3才《さい》まで、まともに人《ひと》と話《はな》すことができず、9才《さい》くらいまで言葉《ことば》を正《ただ》しく使《つか》えなかったと言《い》います。勉強《べんきょう》も、数学《すうがく》（算数《さんすう》）以外《いがい》は、まったくダメ。

アインシュタインは言《い》います。

「わたしの学習《がくしゅう》をさまたげたものは、たったひとつ、教育《きょういく》である」

こんな言葉《ことば》を残《のこ》すほど、学校《がっこう》でいろいろな勉強《べんきょう》をすることがきらいだったのでしょう。

世紀《せいき》の大発見《だいはっけん》とも言《い》える「相対性理論《そうたいせいりろん》」を世《よ》に送《おく》り出《だ》し、物理学《ぶつりがく》を変《か》えた天才《てんさい》でも、こんな子《こ》ども時代《じだい》を送《おく》っていたのです。

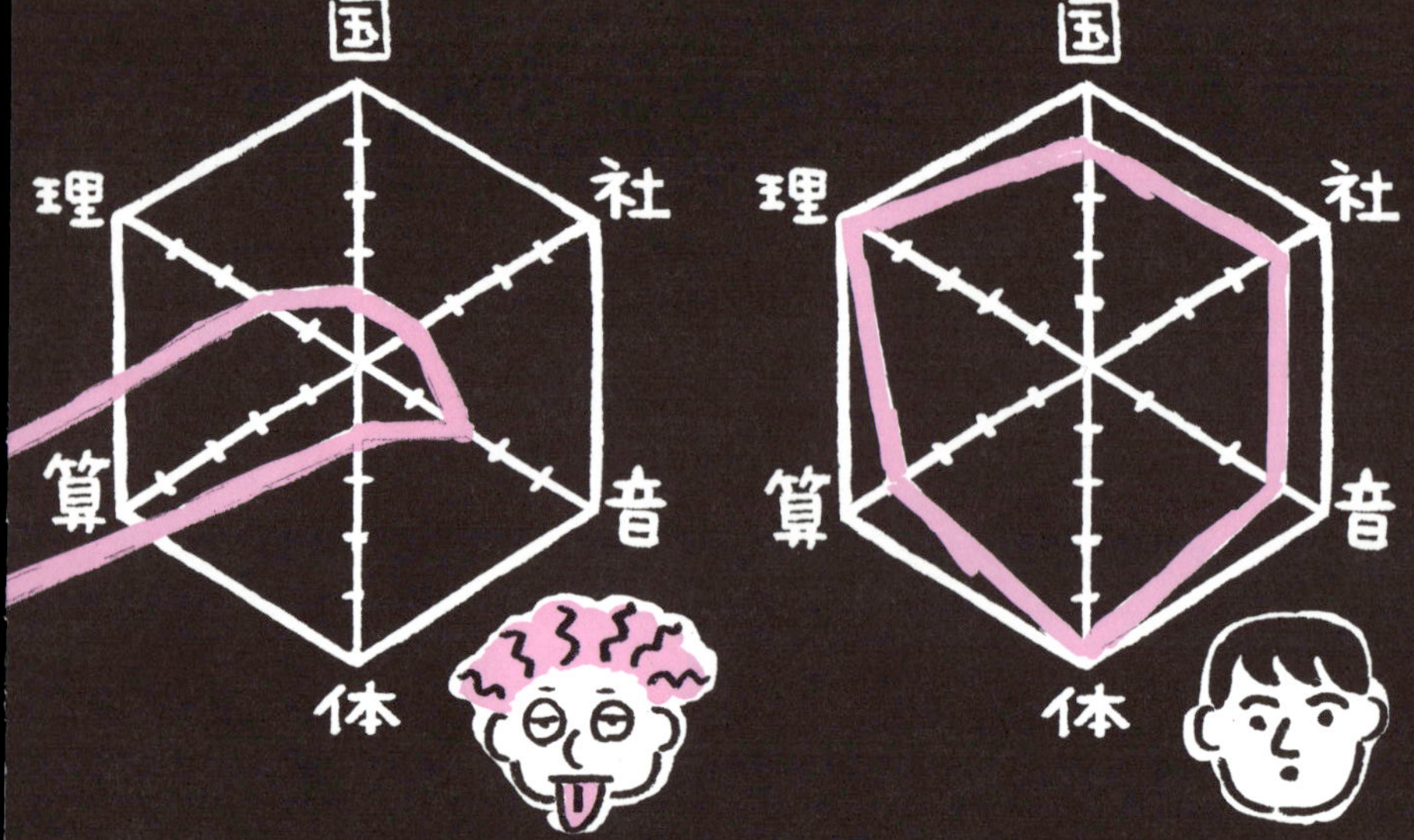

アインシュタインの小学校時代《しょうがっこうじだい》のせいせきを、今《いま》の小学校《しょうがっこう》に当《あ》てはめたら、きっと左上《ひだりうえ》のグラフのようになるでしょう。でも、学校《がっこう》でほめられる人《ひと》というのは、右《みぎ》のグラフのような人《ひと》。「何《なん》でも、そこそこできる」こういう人《ひと》が、もてはやされます。

もちろん、何《なん》でもできる人《ひと》はりっぱです。でも、じつは世《よ》の中《なか》は、たったひとつの得意《とくい》なこと、それも人《ひと》よりはるかに得意《とくい》なことがあれば、それだけで生《い》きていけるものです。

では、どれくらいのレベルになれば、「人《ひと》よりはるかに得意《とくい》」と言《い》えるのでしょう。それは「作《つく》り出《だ》せる」かどうかがポイントになります。

国語《こくご》が得意《とくい》なら、小説《しょうせつ》などを作《つく》り出《だ》せること。理科《りか》が得意《とくい》なら、気《き》になることを探《さが》して、じっけんを作《つく》り出《だ》せること。

そしてさらに、自分《じぶん》で作《つく》ったもので、だれかの心《こころ》を動《うご》かせる。つまり、「感動《かんどう》を作《つく》る」ことができれば、その「得意《とくい》なこと」だけで十分《じゅうぶん》生《い》きていくことができます。算数《さんすう》以外《いがい》、まるでダメだった子《こ》ども時代《じだい》をすごしながらも、成長《せいちょう》して物理学者《ぶつりがくしゃ》となり、相対性理論《そうたいせいりろん》で世界《せかい》の学者《がくしゃ》たちに感動《かんどう》をあたえたアインシュタインが、良《よ》い例《れい》です。

ただ、こうなると「得意《とくい》なことがひとつもないんだけど……」と落《お》ちこむ人《ひと》がいるかもしれません。でも、アインシュタインはこんなことも言《い》っています。

「わたしは天才《てんさい》ではない。ただ、人《ひと》よりも長《なが》く、ひとつのことに付《つ》き合《あ》っただけだ」

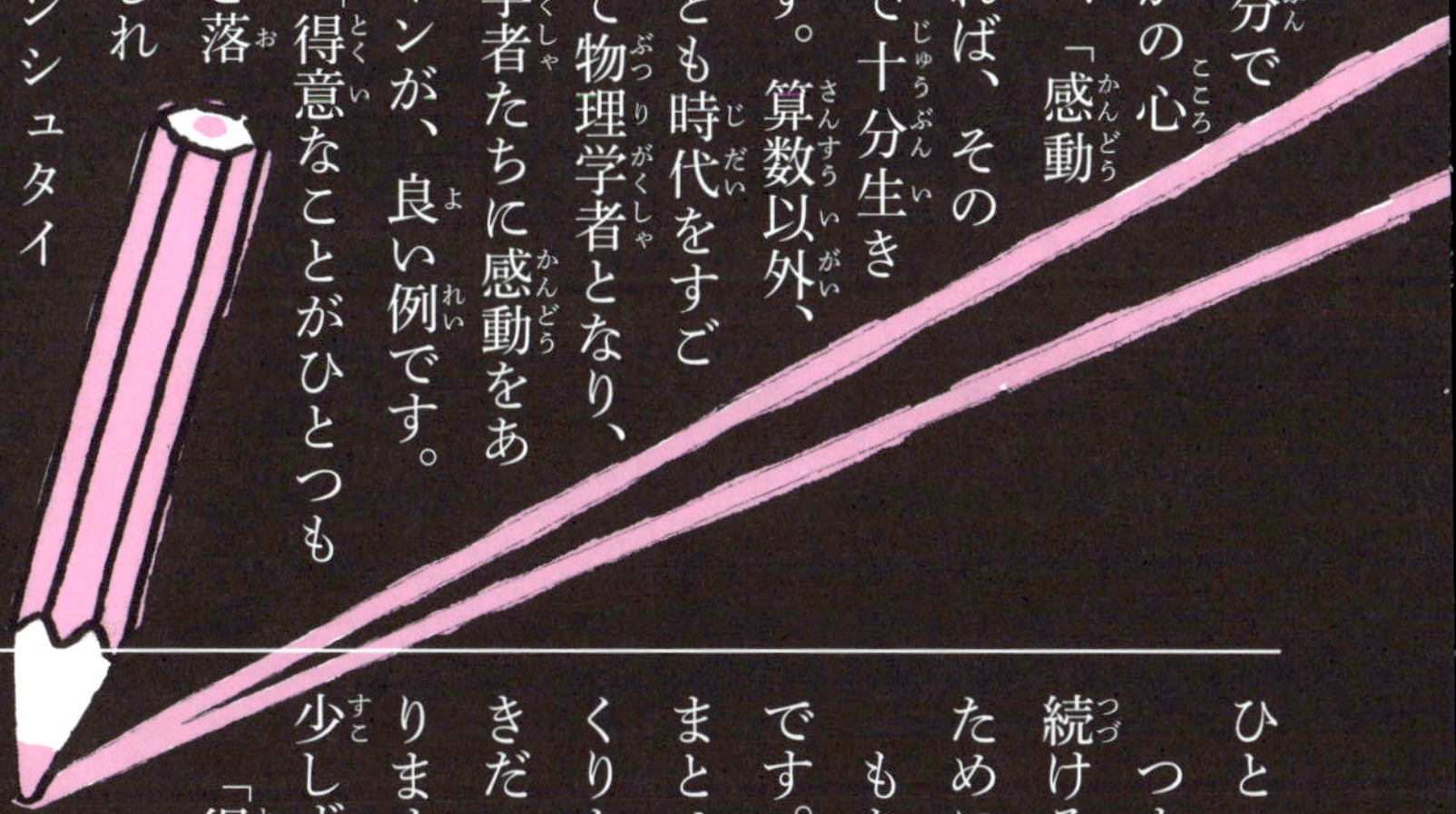

つまり、「ひとつの好《す》きなことを、長《なが》くやり続《つづ》ける」ことが、自分《じぶん》の「得意《とくい》なこと」を作《つく》るためには大切《たいせつ》ということです。

もちろん、「やり続《つづ》ける」に失敗《しっぱい》はつきものです。アインシュタインだって、自分《じぶん》の理論《りろん》をまとめるのに、頭《あたま》の中《なか》で何百回《なんびゃっかい》という失敗《しっぱい》をくりかえしました。だから、ときにはすごく好《す》きだったことが、大《だい》きらいになることだってあります。それでも、「やっぱり好《す》きだから」と少《すこ》しずつでも続《つづ》けていけば、それはいつか必《かなら》ず「得意《とくい》なこと」へと変《か》わります。

いくつかの「苦手《にがて》なこと」を気《き》にして落《お》ちこむより、たったひとつの「好《す》きなこと」を大事《だいじ》にして、心《こころ》から楽《たの》しむ。それが、「感動《かんどう》を作《つく》れる人生《じんせい》」への第一歩《だいいっぽ》なのです。

失敗 VOL. 13

コンプレックスをかかえる

【人物《じんぶつ》】オードリー・ヘプバーン（一九二九－一九九三年《ねん》）

【出身地《しゅっしんち》】ベルギー【どんなことをした人《ひと》？】女優《じょゆう》

大《だい》女優《じょゆう》オードリー・ヘプバーン。かのじょはいかにして世界中《せかいじゅう》から愛《あい》されるようになったのか。まずは、その生《お》い立《た》ちから見《み》てみましょう。

わたしはオードリー。お父《とう》さんが家《いえ》を出《で》て行《い》ったりもしたけれど、わたしは元気《げんき》！　だって、わたしにはバレエがあるんだもん！

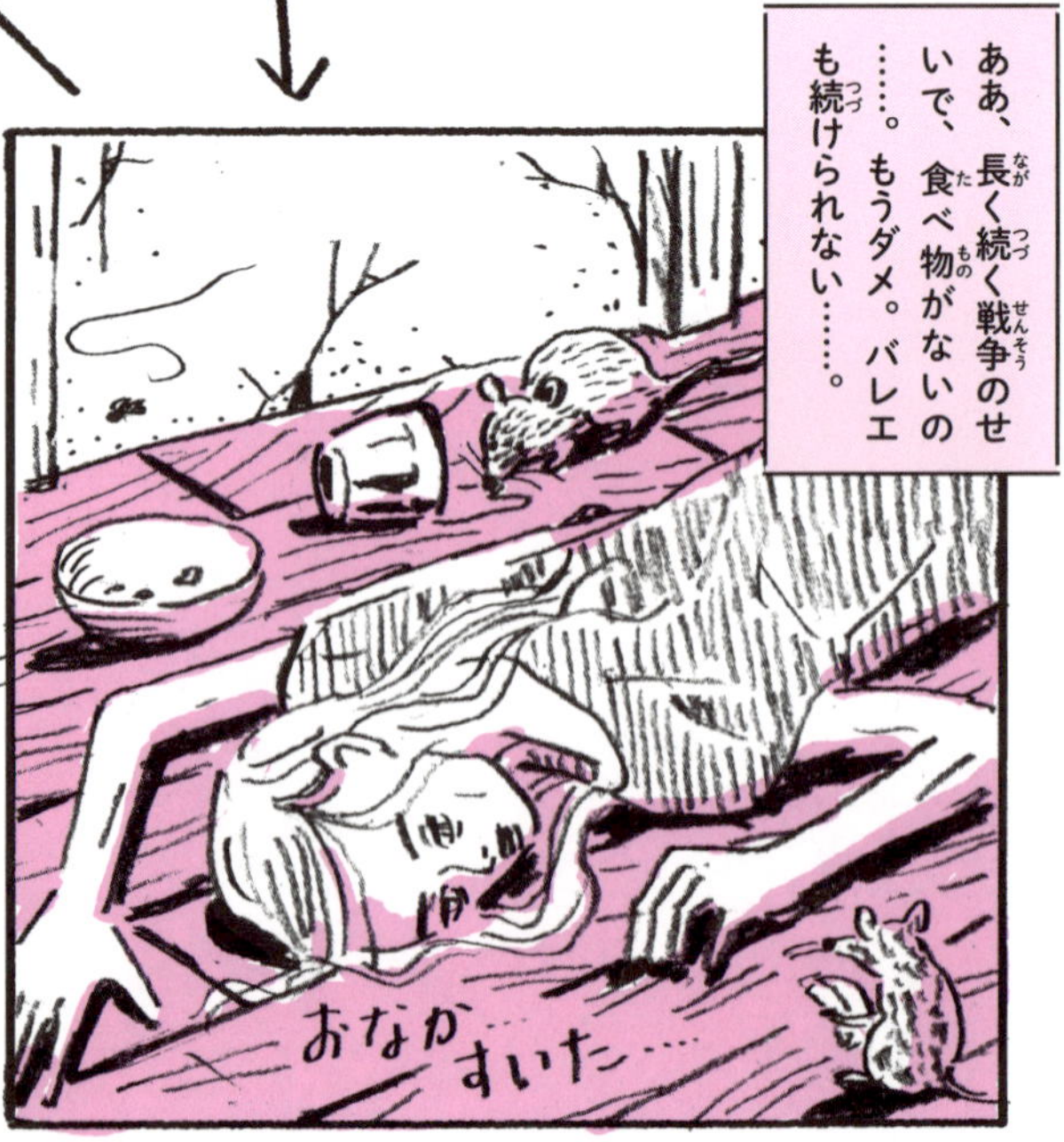
ああ、長《なが》く続《つづ》く戦争《せんそう》のせいで、食《た》べ物《もの》がないの……。もうダメ。バレエも続《つづ》けられない……。
おなか…
すいた…

失敗

コンプレックスをかかえる

世《せ》界《かい》がオードリーに恋《こい》をした！

あらら、人気者《にんきもの》になっちゃった！「永遠《えいえん》の妖精《ようせい》」なんてキャッチコピーまでついちゃって、なんだかはずかしいわ。でも、妖精《ようせい》とは思《おも》えないような役《やく》も、けっこうやってきたのよ。

永《えい》遠《えん》の妖精《ようせい》オードリー・ヘプバーン。女優《じょゆう》として、数々《かずかず》の映画《えいが》に出演《しゅつえん》した後《あと》は、世界中《せかいじゅう》のめぐまれない子《こ》どもたちのために活動《かつどう》しました。オードリーの活動《かつどう》は多《おお》くの人《ひと》の心《こころ》を打《う》ち、これによって助《たす》けられた命《いのち》もたくさんあります。

まさに天使《てんし》のような美《うつく》しさとやさしさで、世《せ》界中《かいじゅう》から愛《あい》されたオードリー。そんなかのじょに、失敗《しっぱい》なんてあったのでしょうか？

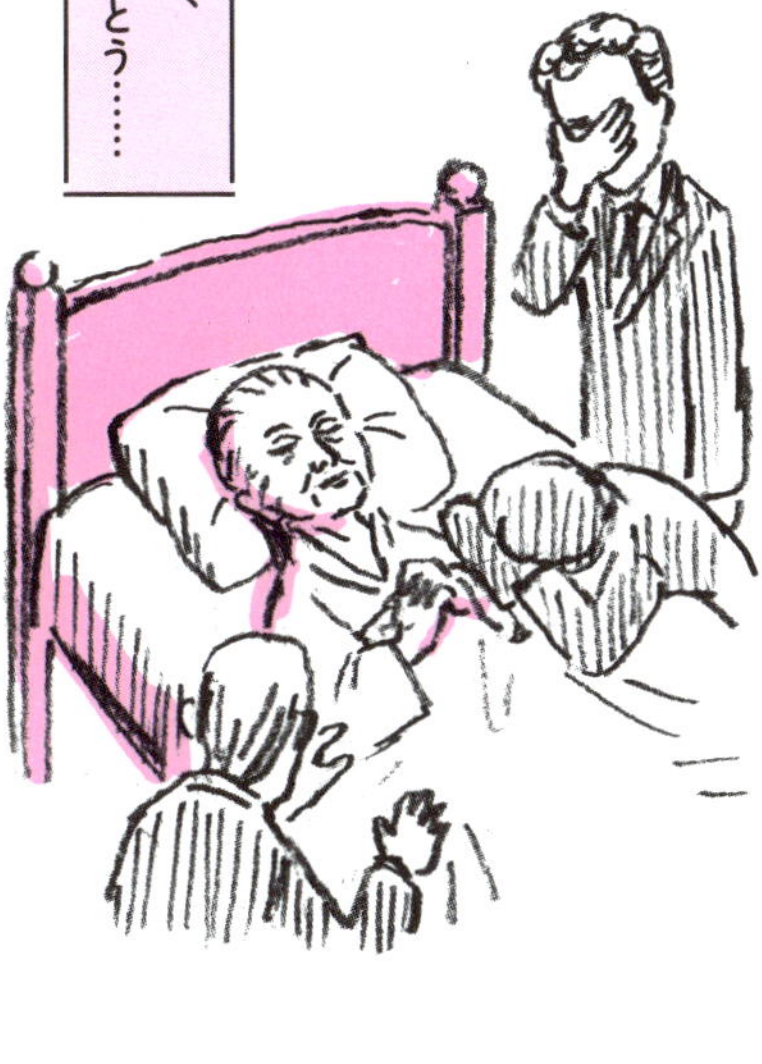
みんな、ありがとう……

【アチャ〜〜】

【性格《せいかく》】
さつえいの後《あと》は落《お》ちこんでばかり

【体質《たいしつ》】
食《た》べ物《もの》がない時代《じだい》のえいきょうで、太《ふと》れない体《からだ》になった

【代表作《だいひょうさく》】
『ローマの休日《きゅうじつ》』『ティファニーで朝食《ちょうしょく》を』『麗《うるわ》しのサブリナ』など

【特技《とくぎ》】
少《すく》ない服《ふく》をおしゃれに着回《きまわ》すのが得意《とくい》

なんと、オードリーは「自分《じぶん》のことを美《うつく》しいと思《おも》ったことなんてない」と言《い》っています。

やせすぎた体《からだ》、四角《しかく》い顔《かお》、大《おお》きな鼻《はな》、高《たか》い身長《しんちょう》、小《ちい》さなむね、大《おお》きな足《あし》……。

こんなにたくさん悪《わる》い部分《ぶぶん》があるのだから、自分《じぶん》が美《うつく》しいわけがない。永遠《えいえん》の妖精《ようせい》は、どうやら本気《ほんき》でそのように思《おも》っていたようです。

じつは、オードリーがわかかった時代《じだい》、女性《じょせい》らしさといえば、丸《まる》みのあるやわらかい顔《かお》、スッと細《ほそ》く通《とお》った鼻《はな》、身長《しんちょう》はそれほど高《たか》くなく、ふくよかな体《からだ》、大《おお》きなむね……。このような人《ひと》が「女性《じょせい》らしい」と言《い》われ、人気者《にんきもの》だったのです。

たとえば、右《みぎ》の絵《え》の中《なか》にあるポスターには、マリリン・モンローという女優《じょゆう》がえがかれていますす。かのじょのような体《からだ》や顔《かお》が、当時《とうじ》は一番《いちばん》うけていたのです。

そんな人気女優《にんきじょゆう》たちとは、正反対《せいはんたい》の外見《がいけん》をした自分《じぶん》……。このような、自分《じぶん》が他《ほか》の人《ひと》よりおとっていると感《かん》じる部分《ぶぶん》のことを「コンプレックス」と言《い》います。

オードリーは、みんなの感覚《かんかく》では信《しん》じられないかもしれませんが、自分《じぶん》の美《うつく》しい顔《かお》や体《からだ》をじまんに思《おも》うどころか、大《おお》きなコンプレックスだと感《かん》じ、なやんでいたのです。

コンプレックスが大《おお》きくなると、どうしても、心《こころ》が暗《くら》くなっていきます。それでは、とてもじゃないけど、カメラの前《まえ》や、たくさんのお客《きゃく》さんの前《まえ》で、良《よ》いえんぎなんかできません。

では、オードリーはいったいどうやって、このコンプレックスからぬけ出《だ》したのでしょう。

コンプレックスをかかえたオードリーは、どうしたのか。いっぱい食《た》べて太《ふと》ろうとした？　かみをのばして顔《かお》の形《かたち》をかくした？

いいえ、そんなことはしませんでした。

オードリーは、自分《じぶん》の美《うつく》しくない部分《ぶぶん》を、美《うつく》しいと感《かん》じてもらえるよう、努力《どりょく》したのです。細《ほそ》い体《からだ》でもきれいに見《み》える服《ふく》を着《き》こなし、目《め》にハデなメイクをすることで、顔《かお》の形《かたち》や鼻《はな》の大《おお》きさが目立《めだ》たないようにするなど、女優《じょゆう》として、つねに自分《じぶん》の見《み》せ方《かた》に気《き》をつけました。

オードリーは言《い》います。

「女《おんな》らしさは、体《からだ》で表現《ひょうげん》しなくても作《つく》ることができます。たとえば、木《き》からリンゴを取《と》るしぐさとか、車《くるま》からおりるしぐさとかでね」

そう、美《うつく》しさは、顔《かお》が良《よ》ければ、スタイルが良《よ》ければなど、ひとつのじょうけんだけで作《つく》られるものではありません。オードリーは、たくさんの地道《じみち》な努力《どりょく》によって、自分《じぶん》ならではの美《うつく》しさ、女性《じょせい》らしさを作《つく》り上《あ》げ、世界中《せかいじゅう》の人《ひと》にみとめさせたのです。そして「ふくよかな女性《じょせい》が美《うつく》しい」という当時《とうじ》の「当《あ》たり前《まえ》」すら、変《か》えてしまったのです。

みんなも、自分《じぶん》の顔《かお》や体《からだ》、性格《せいかく》など、何《なに》かコンプレックスをかかえているかもしれません。もし、それを直《なお》したいと思《おも》うのなら、その部分《ぶぶん》か

ら目《め》をそらさず、一度《いちど》、じっくりと見《み》つめてみましょう。

たとえば、「顔《かお》がかわいくない」というコンプレックスのうらがわには、「かわいいと思《おも》われたい」という思《おも》いがかくされています。でも、「かわいい」は、決《けっ》して顔《かお》だけで作《つく》られるものではありません。ファッション、メイク、体《からだ》つき、しぐさ、心《こころ》のもちかた、言葉《ことば》づかい、これらすべてが「かわいい」に関係《かんけい》しています。

このように考《かんが》えていくと、「顔《かお》がかわいくないから、かわいくなれない」というわけではないことに気《き》がつきます。そして、オードリーのように地道《じみち》な努力《どりょく》で、他《ほか》の「かわいい」を手《て》に入《い》れていけば、あなただけの、でも、だれもがみとめてくれる「かわいい」を作《つく》ることができるのです。

地道《じみち》な努力《どりょく》で手《て》に入《い》れたものがふえると、自《じ》分《ぶん》の好《す》きな部分《ぶぶん》もふえていきます。そして、ある日《ひ》、これまで自分《じぶん》をなやませていたコンプレックスに対《たい》して、こう思《おも》うようになります。

「ま、いっか。それも自分《じぶん》」

これは、どんなコンプレックスでも同《おな》じ。コンプレックスは、成長《せいちょう》のチャンスです。「ま、いっか」と思《おも》える日《ひ》まで、がんばりましょう。

失敗 VOL.14

理想《りそう》が高《たか》すぎる

【人物《じんぶつ》】孔子《こうし》（紀元前《きげんぜん》五五二－四七九年《ねん》）

【出身地《しゅっしんち》】中国《ちゅうごく》【どんなことをした人《ひと》？】思想家《しそうか》、哲学者《てつがくしゃ》

孔子《こうし》

KOUSHI

「その人《ひと》を知《し》りたければ、その友《とも》を見《み》よ」

偉《い》人《じん》とよばれる人《ひと》たちは、たいてい、すばらしい言葉《ことば》、すなわち「名言《めいげん》」をたくさん残《のこ》しています。

「常識《じょうしき》とは、18才《さい》までに身《み》につけた偏見《へんけん》（かたよった見方《みかた》）のコレクションである」

アインシュタイン

「より良《よ》い方法《ほうほう》は、つねにそんざいしている」

エジソン

でも、名言《めいげん》と言《い》えば、この人《ひと》をしょうかいしないわけにはいきません。

「正《ただ》しいと思《おも》って動《うご》かない人《ひと》は、勇気《ゆうき》がない」

をえる」

「あやまちをし、あらためない。これを『あやまち』という」

「好《す》きなことを仕事《しごと》にすれば、一生《いっしょう》働《はたら》かなくてすむ」

「学《まな》べば、かたい考《かんが》もたなくな

孔子《こうし》は今《いま》から約《やく》2500年前《ねんまえ》に、中国《ちゅうごく》で生《う》まれました。当時《とうじ》の中国《ちゅうごく》は、たくさんの国《くに》にわかれていて、戦争《せんそう》がたえない国《くに》でした。戦争《せんそう》は多《おお》くのものをうばいます。家《いえ》、国《くに》、命《いのち》、そして心《こころ》。そんなみだれた世《よ》に生《い》きた孔子《こうし》ですが、人《ひと》が人《ひと》として正《ただ》しい心《こころ》をもつことで、美《うつく》しい国《くに》を作《つく》ることができると考《かんが》えました。

そんな考《かんが》えに感動《かんどう》し、孔子《こうし》の弟子《でし》になった人《ひと》は、なんと3000人《にん》！　孔子《こうし》は、弟子《でし》たちとともに長《なが》い旅《たび》をしながら、自分《じぶん》の考《かんが》えを弟子《でし》たちに語《かた》りました。そして、孔子《こうし》が死《し》んだ後《あと》、弟《で》子《し》たちは孔子《こうし》の言葉《ことば》を一《いっ》さつの本《ほん》にまとめます。それが『論語《ろんご》』です。

ほら、右《みぎ》にある言葉《ことば》を見《み》てください。どれも深《ふか》く、するどく心《こころ》にひびくものばかりですよね。これらはすべて、『論語《ろんご》』に書《か》かれている孔子《こうし》の言葉《ことば》です。『論語《ろんご》』は、2500年以上《ねんいじょう》たった今《いま》でも、世界中《せかいじゅう》で読《よ》まれ、人々《ひとびと》に生《い》きるヒントをあたえ続《つづ》けています。

さて、こうなると気《き》になるのは、孔子《こうし》という人《ひと》です。いったい、孔子《こうし》は生《い》きている間《あいだ》に、どれだけのことをなしとげた人物《じんぶつ》なのでしょう。

【アチャ〜〜】
【ウソ①】
3000人《にん》も弟子《でし》がいたというのは、ウソかも
アイツ最近さぁ…
【ウソ②】
国《くに》のえらい立場《たちば》だったというのも、ウソかも
どうして世の中は私をみとめないのだ
【代表作《だいひょうさく》】
なし（死《し》んだ後《あと》、弟子《でし》たちが作《つく》った『論語《ろんご》』くらい）

失敗

理想《りそう》が高《たか》すぎる

孔《こう》子《し》は、生《い》きている間《あいだ》、とくに何《なに》もしませんでした……。いろいろなことを学《まな》び、自分《じぶん》の考《かんが》えをまとめて人《ひと》に話《はな》す活動《かつどう》を行《おこな》い、弟子《でし》をたくさんかかえていたようですが、それだけです。

じつは、孔子《こうし》にはやりたいことがありました。それは、国《くに》を動《うご》かす仕事《しごと》。今《いま》で言《い》う政治家《せいじか》です。孔子《こうし》は、正《ただ》しい心《こころ》によって国《くに》を作《つく》ることが、多《おお》くの人《ひと》のしあわせにつながると考《かんが》えていたので、その思《おも》いを形《かたち》にしたかったのでしょう。

そして、チャンスがやってきます。孔子《こうし》が50才《さい》をすぎたころ、今《いま》で言《い》う国《くに》の大臣《だいじん》のような仕《し》事《ごと》をまかされたのです。

でも、うまくいきませんでした。何《なに》しろこのときの中国《ちゅうごく》は、たくさんの国《くに》にわかれて戦争《せんそう》の真《ま》っ最中《さいちゅう》。孔子《こうし》が目指《めざ》す高《たか》い理想《りそう》をもった国作《くにづく》りなどできるわけもなく、わずか3年《ねん》で、国《くに》を追《お》い出《だ》されてしまったのです。その後《ご》は、弟子《でし》たちとともに、新《あたら》しくやとってくれる国《くに》を求《もと》めて旅《たび》を続《つづ》けました。

この旅《たび》の中《なか》で、孔子《こうし》は、自分《じぶん》がみとめてもらえないことをなげいたり、最《もっと》も才能《さいのう》がある弟子《でし》が死《し》んだときには「天《てん》はわたしをほろぼそうとしているのか！」と世間《せけん》をうらんだり、大《おお》げさなグチばかり言《い》っていたといいます。

結局《けっきょく》、孔子《こうし》は政治家《せいじか》になれないまま、73才《さい》で死《し》んでしまいました。

孔子《こうし》は、２５００年《ねん》もの間《あいだ》、その考《かんが》えが語《かた》りつがれている大偉人《だいいじん》です。でも、生《い》きていた時《とき》の孔子《こうし》は、国《くに》を動《うご》かす仕事《しごと》どころか、自分《じぶん》の考《かんが》えを本《ほん》にまとめることすらできないまま、この世《よ》を去《さ》っていたのです。

生《い》きている間《あいだ》に何《なに》も形《かたち》にできなかった孔子《こうし》ですが、それでも、その人生《じんせい》で残《のこ》した言葉《ことば》は本物《ほんもの》でした。だからこそ、孔子《こうし》には、多《おお》くの弟子《でし》たちがいたのです。

　この弟子《でし》たちによってまとめられた『論語《ろんご》』は、時《とき》をこえて読《よ》みつがれ、そこから「儒教《じゅきょう》」という教《おし》えが作《つく》られました。そして、孔子《こうし》が死《し》んでから約《やく》３００年後《ねんご》、儒教《じゅきょう》は学校《がっこう》の教育《きょういく》に使《つか》われるようになったのです。儒教《じゅきょう》による教《きょう》育《いく》は、その後《ご》２０００年《ねん》もの間《あいだ》、続《つづ》きました。

　教育《きょういく》は人《ひと》を作《つく》るもの。そして、国《くに》は人《ひと》が作《つく》るもの。儒教《じゅきょう》を学《まな》んだ人《ひと》が国《くに》を作《つく》る。これはまさに孔子《こうし》が願《ねが》っていたことです！

　生《い》きているうちには理想《りそう》をはたせなかった孔《こう》子《し》。しかし、孔子《こうし》の理想《りそう》は、死後《しご》３００年《ねん》がたってから、現実《げんじつ》のものとなったのです。

　とはいえ、じっさいには、理想《りそう》を語《かた》るだけで現実《げんじつ》が変《か》わることなんて、まずありません。もし、理想《りそう》を現実《げんじつ》にしたいのなら、現実《げんじつ》の中《なか》で、自分《じぶん》ができることをふやしていきましょう。

「歌手《かしゅ》になって、大《だい》ヒット曲《きょく》を歌《うた》いたい！」

　そう思《おも》ったのなら、まずは、コンサートでキャーキャー言《い》われている自分《じぶん》をイメージして、

思《おも》うぞんぶんニヤニヤしましょう。一通《ひととお》りニヤニヤし終《お》わったら、そのイメージを全部《ぜんぶ》わすれて、楽器《がっき》を覚《おぼ》えたり、曲《きょく》を作《つく》ったり、歌《うた》を練《れん》習《しゅう》したりと、じっさいにできることをふやしていきましょう。できることがふえるたび、だんだんと理想《りそう》の自分《じぶん》に近《ちか》づいていきます。

そして、そんな目標《もくひょう》に向《む》かってがんばっているときにこそ、読《よ》んでほしい本《ほん》があります。それが『論語《ろんご》』です。

徳川家康《とくがわいえやす》や夏目漱石《なつめそうせき》なども『論語《ろんご》』を読《よ》んでいましたし、明治時代《めいじじだい》に日本《にほん》の経済《けいざい》を理想的《りそうてき》な形《かたち》に変《か》えた渋沢栄一《しぶさわえいいち》という人《ひと》は、『論語《ろんご》』の言《こと》葉《ば》をとても大事《だいじ》にしていたそうです。

少《すこ》しむずかしいかもしれませんが、みんなの心《こころ》にひびく言葉《ことば》も、きっとあると思《おも》います。言葉《ことば》がもつ力《ちから》の大《おお》きさを、ぜひ感《かん》じてください。

失敗 VOL. 15 ナイーブすぎた

【人物《じんぶつ》】アルフレッド・ノーベル（一八三三－一八九六年《ねん》）
【出身地《しゅっしんち》】スウェーデン【どんなことをした人《ひと》？】化学者《かがくしゃ》、実業家《じつぎょうか》

ニトログリセリンというものがあります。1846年《ねん》に、イタリアの化学者《かがくしゃ》アスカニオ・ソブレロによって発見《はっけん》されました。昔《むかし》、石油《せきゆ》は「燃《も》える水《みず》」とよばれていましたが、それにならうなら、ニトログリセリンは「ばくはつする水《みず》」です。

そのばくはつの力《ちから》はすさまじく、山《やま》をけずり、岩《いわ》をくだくことだって思《おも》いのまま。トンネルさえ、かんたんにできてしまいます。ニトログリセリンによって、人類《じんるい》は、地球《ちきゅう》の形《かたち》を思《おも》い通《どお》りに作《つく》り変《か》える力《ちから》をもったのです。

しかし、ニトログリセリンには大《おお》きな欠点《けってん》がありました。強《つよ》い熱《ねつ》や、大《おお》きなゆれをあたえただけで、かんたんにばくはつしてしまうのです。ニトログリセリンは、人《ひと》があつかうには、あまりにもきけんすぎるものでした。

＊＊＊

それから19年《ねん》の時《とき》が流《なが》れた、1865年《ねん》。ニ

トログリセリンは、ふたたび世間《せけん》の注目《ちゅうもく》を集《あつ》めました。「起《き》爆装置《ばくそうち》」の発明《はつめい》です。

まず、ニトログリセリンの入《はい》ったかんに、火薬《かやく》をつめた小《ちい》さい木《き》箱《ばこ》を入《い》れます。木箱《きばこ》からは、「導火線《どうかせん》」というひもを出《だ》し、これに火《ひ》を付《つ》けることで、中《なか》の火《か》薬《やく》をばくはつさせ、この小《ちい》さなばくはつによって、ニトログリセリンを大《だい》ばくはつさせるのです。導火線《どうかせん》を長《なが》くすれば、遠《とお》くはなれた場所《ばしょ》からでもばくはつをあやつることができ、安全《あんぜん》です。

この起爆装置《きばくそうち》を作《つく》り出《だ》したのが、アルフレッド・ノーベル。このとき32才《さい》。

この発明《はつめい》により、ニトログリセリンはようやく人類《じんるい》にとって役《やく》に立《た》つものとなり、ノーベルの工場《こうじょう》には、じゃんじゃん注文《ちゅうもん》が入《はい》りました。

しかし、ニトログリセリンがきけんであることには、変《か》わりありません。運《はこ》んでいるとちゅうで、ニトログリセリンのかんを落《お》としてしまい、大《だい》ばくはつ！　それどころか、馬車《ばしゃ》のゆれだけで大《だい》ばくはつ！　しまいには、ノーベルの工場《こうじょう》までもがばくはつしてしまい、このとき、ノーベルは弟《おとうと》を失《うしな》ってしまいます。

「わたしは、このままニトログリセリンにかかわる仕事《しごと》を続《つづ》けていいのか……」

ノーベルは深《ふか》く深《ふか》く、考《かんが》えこみました。

しかし、ノーベルは、ニトログリセリンをすてませんでした。ニトログリセリンを安全《あんぜん》にあつかう方法《ほうほう》を必死《ひっし》に研究《けんきゅう》し、ついに、新商品《しんしょうひん》を開発《かいはつ》します。

ニトログリセリンを「珪藻《けいそう》土《ど》」というねんどのような土《つち》とまぜることで、安全《あんぜん》に運《はこ》べるようにしたのです。土《つち》とまぜることで、形《かたち》も変《か》えられるようになったため、つつのような形《かたち》にし、中《なか》に「雷管《らいかん》」という起爆《きばく》装置《そうち》を入《い》れました。

こうして生《う》まれたのが、ダイナマイトです。

きっとみんなも、どこかでこの形《かたち》を見《み》たことがありますよね？

これもまた、世界中《せかいじゅう》で大《だい》ヒット！　持《も》ち運《はこ》びにも便利《べんり》で、小《ちい》さなすきまに入《い》れてばくはつさせることもでき、使《つか》い勝手《がって》も良《よ》い。ノーベルの工場《こうじょう》には、ふたたび注文《ちゅうもん》がさっとう、ノーベルはすぐさま、世界各地《せかいかくち》に工場《こうじょう》をたて、たくさんのダイナマイトを作《つく》れるようにしました。当然《とうぜん》、お金《かね》もどんどんもうかります。このとき、ノーベルは世界一《せかいいち》のお金持《かねも》ちになったと言《い》われています。

子《こ》ども時代《じだい》は、父親《ちちおや》の会社《かいしゃ》がつぶれて、家族《かぞく》がはなればなれになるなど、ツラい生活《せいかつ》をしていました。しかし、33才《さい》というわかさでダイナマイトを発明《はつめい》し、一生《いっしょう》お金《かね》にこまらない生活《せいかつ》を手《て》に入《い》れたのです。

そんな、大成功《だいせいこう》をおさめたノーベルが、このとき、どんな顔《かお》をしていたかと言《い》うと……。

なんとも言《い》えない表情《ひょうじょう》をしていますね。

もともと、心《こころ》が落《お》ちこみやすく、きずつきやすい性格《せいかく》だったノーベルは、いきなりお金持《かねも》ちになったことで、さまざまなツラいできごとにあい、どんどん落《お》ちこんでいってしまったのです。

いったい、どんなことが起《お》きたのでしょう？

【アチャ〜〜】

【発明《はつめい》】
ダイナマイトの他《ほか》にも、石油《せきゆ》を遠《とお》くまで運《はこ》ぶ技術《ぎじゅつ》や、船《ふね》でおぼれた人《ひと》を助《たす》ける方法《ほうほう》など、世《よ》のためになる発《はっ》明《めい》を多《おお》く残《のこ》している

【代表作《だいひょうさく》】
ダイナマイト、ノーベル賞《しょう》

【結婚《けっこん》】
人生《じんせい》で3度《ど》、恋愛《れんあい》をしたが、一度《いちど》も結婚《けっこん》しなかった

【うわさ】
「ノーベル賞《しょう》に数《すう》学賞《がくしょう》がないのは、フラれた女性《じょせい》の結《けっ》婚相手《こんあいて》が数学者《すうがくしゃ》だったから」といううわさがある

1888年《ねん》に、ノーベルの兄《あに》がなくなりました。そのとき、ノーベルが死《し》んだとかんちがいした新聞《しんぶん》は、「死《し》の商人《しょうにん》、死《し》す」という見出《みだ》しで記事《きじ》を書《か》いたのです。それを見《み》たノーベルは、大《おお》きなショックを受《う》けました。

たしかに、ダイナマイトは戦争《せんそう》でも使《つか》われていました。また、ノーベルは、より強力《きょうりょく》な兵器《へいき》の開発《かいはつ》も進《すす》めていたので、それだけ見《み》れば「ノーベルは人《ひと》の死《し》を商売《しょうばい》にしている」と言《い》われても、しかたないかもしれません。しかし、ノーベルは人殺《ひとごろ》しの道具《どうぐ》としてダイナマイトを作《つく》ったわけではないですし、兵器《へいき》の開発《かいはつ》も、多《おお》くの国《くに》が強力《きょうりょく》な兵器《へいき》をもてば、じっさいにそれらが使《つか》われることはへるだろうと考《かんが》え、行《おこな》っていたのです。

さらに、恋《こい》をした女性《じょせい》ふたりからフラれたこともあり、ノーベルの心《こころ》はだんだんと弱《よわ》っていきました。

ノーベルは、自身《じしん》の最大《さいだい》の発明《はつめい》であるダイナマイトについて、このように語《かた》っています。

「おろかな殺人《さつじん》の道具《どうぐ》になってしまった」

そして、自分《じぶん》の人生《じんせい》については、「生《う》まれてすぐ殺《ころ》されたほうがマシだった」とまで言《い》っています。自分《じぶん》の発明品《はつめいひん》どころか、自分《じぶん》の人生《じんせい》までも失敗《しっぱい》と思《おも》うようになってしまったノーベルは、60才《さい》をすぎたころから心臓《しんぞう》をわずらうようになり、63才《さい》でこの世《よ》を去《さ》りました。

じつは当時《とうじ》、心臓《しんぞう》の病気《びょうき》を良《よ》くする薬《くすり》が発《はつ》明《めい》されていましたが、ノーベルは、この薬《くすり》をことわっていました。それは、この薬《くすり》が、ダイナマイトの原料《げんりょう》である、ニトログリセリンから作《つく》られたものだったからだと言《い》われています。

心《しん》臓《ぞう》が悪《わる》くなり、自《じ》分《ぶん》は長《なが》生《い》きできないと知《し》ったノーベルは、自《じ》分《ぶん》が死《し》んだ後《あと》に残《のこ》される、ばくだいなお金《かね》の使《つか》い道《みち》を記《しる》した「遺言《ゆいごん》」を書《か》きました。それには、こんなことが書《か》かれていました。

「自《じ》分《ぶん》が残《のこ》すお金《かね》を使《つか》って、毎年《まいとし》、物理学《ぶつりがく》、化学《かがく》、生理《せいり》学《がく》または医学《いがく》、文学《ぶんがく》、そして平和《へいわ》のためにつくした人《じん》物《ぶつ》たちに賞《しょう》をあたえよ」

この遺言《ゆいごん》をもとに生《う》まれたのが、みんなも一度《いちど》は聞《き》いたことがある「ノーベル賞《しょう》」です。

ノーベルの死《し》から5年後《ねんご》、1901年《ねん》からスタートしたノーベル賞《しょう》は、国籍《こくせき》、性別《せいべつ》などをまったく問《と》わない公平《こうへい》さ、きっちりと調《しら》べ上《あ》げて受賞者《じゅしょうしゃ》を決《き》める公正《こうせい》さで、今《いま》もなお世界中《せかいじゅう》からみとめられ、注目《ちゅうもく》され続《つづ》けています。

こうして、生《い》きているときのひょうばんの悪《わる》さを、死《し》んでから見《み》事《ごと》にひっくり返《かえ》したのが、ノーベルという人《ひと》です。

じゅんすいで、感《かん》じやすく、きずつきやすい心《こころ》のことを「ナイーブ」と言《い》います。世間《せけん》のひょうばんや、恋《こい》にやぶれたダメージを人一倍《ひといちばい》大《おお》きく受《う》け止《と》めていたノーベルは、もしかしたら、だれよりもナイーブな人《ひと》だったのかもしれません。

だからこそ、ノーベル賞《しょう》というすばらしい賞《しょう》が生《う》まれたわけですが、でも、本人《ほんにん》がしあわせな人生《じんせい》だと思《おも》っていなかったのであれば、それはやはり問題《もんだい》です。

生《い》きていれば、自分《じぶん》のことを良《よ》く言《い》う人《ひと》もいますし、悪《わる》く言《い》う人《ひと》もいます。有名《ゆうめい》になり、多《おお》くの人《ひと》に注目《ちゅうもく》されるようになれば、なおさらです。

まわりの意見《いけん》など気《き》にせず、平気《へいき》でいられるような心《こころ》をもった人《ひと》を「図太《ずぶと》い人《ひと》」と言《い》いますが、しあわせを感《かん》じながら生《い》きていくためには、だれでも多少《たしょう》の図太《ずぶと》さは必要《ひつよう》です。

では、図太《ずぶと》さは、どうすれば身《み》につけることができるのでしょう。

それは、どんなことにも手《て》をぬかず、つねに「自分《じぶん》はやれるだけのことはやった」という気《き》持《も》ちをもつことです。そうすれば、図太《ずぶと》さは自然《しぜん》と身《み》につき、「ま、しょうがないか」と思《おも》えるようになっていきます。

人《ひと》の気《き》持《も》ちを感《かん》じやすく、きずつきやすいナイーブさと、やれるだけのことをやったらあとは気《き》にしない図《ず》太《ぶと》さ。正反対《せいはんたい》の性格《せいかく》のように思《おも》えますが、ノーベルの人生《じんせい》を知《し》ると、この両方《りょうほう》をバランスよく持《も》ち合《あ》わせていることが、しあわせに生《い》きるためには大切《たいせつ》なのかもしれません。

失敗 VOL.16

ギャンブルにハマる

【人物《じんぶつ》】フョードル・ドストエフスキー（一八二一－一八八一年《ねん》）
【出身地《しゅっしんち》】ロシア【どんなことをした人《ひと》？】小説家《しょうせつか》

『罪《つみ》と罰《ばつ》』『白痴《はくち》』など多《おお》くの名作《めいさく》を残《のこ》したロシアの作家《さっか》、ドストエフスキー。数《かず》ある作品《さくひん》の中《なか》でも『カラマーゾフの兄弟《きょうだい》』は、文学史上《ぶんがくしじょう》の最高《さいこう》けっさくと言《い》われています。この作品《さくひん》にえいきょうを受《う》けた小説家《しょうせつか》は数知《かずし》れず……。

しかし、そんなドストエフスキーの作品《さくひん》には大《おお》きな弱点《じゃくてん》があります。それが「むずかしい」ということ。でも、わざとむずかしく書《か》いているわけではありません。本当《ほんとう》なら「めちゃくちゃむずかしい」ところを、ドストエフスキーは「むずかしい」くらいでおさまるように書《か》いているのです。

だから、今《いま》は無理《むり》でも、大《おお》きくなったらぜひ『カラマーゾフの兄弟《きょうだい》』を読《よ》んでみてください。

でも、ふつうに読《よ》むと、大人《おとな》でも、とちゅうであきらめてしまう人《ひと》が多《おお》いので、左《ひだり》の3つのことを守《まも》って読《よ》み進《すす》めましょう。そうすれば、時間《じかん》がかかっても読《よ》み終《お》えられると思《おも》います。

では、そんな最高《さいこう》にむずかしくておもしろい小説《しょうせつ》を書《か》いたドストエフスキーという人《ひと》は、いったいどんな人《ひと》だったのでしょう。

【登場人物《とうじょうじんぶつ》の相関図《そうかんず》を作《つく》る】

登場人物《とうじょうじんぶつ》たちの関係《かんけい》を図《ず》にしたものを「人物相関図《じんぶつそうかんず》」と言《い》います。これがあると、「だれがだれだかわからない」という問題《もんだい》もかいしょうされます。

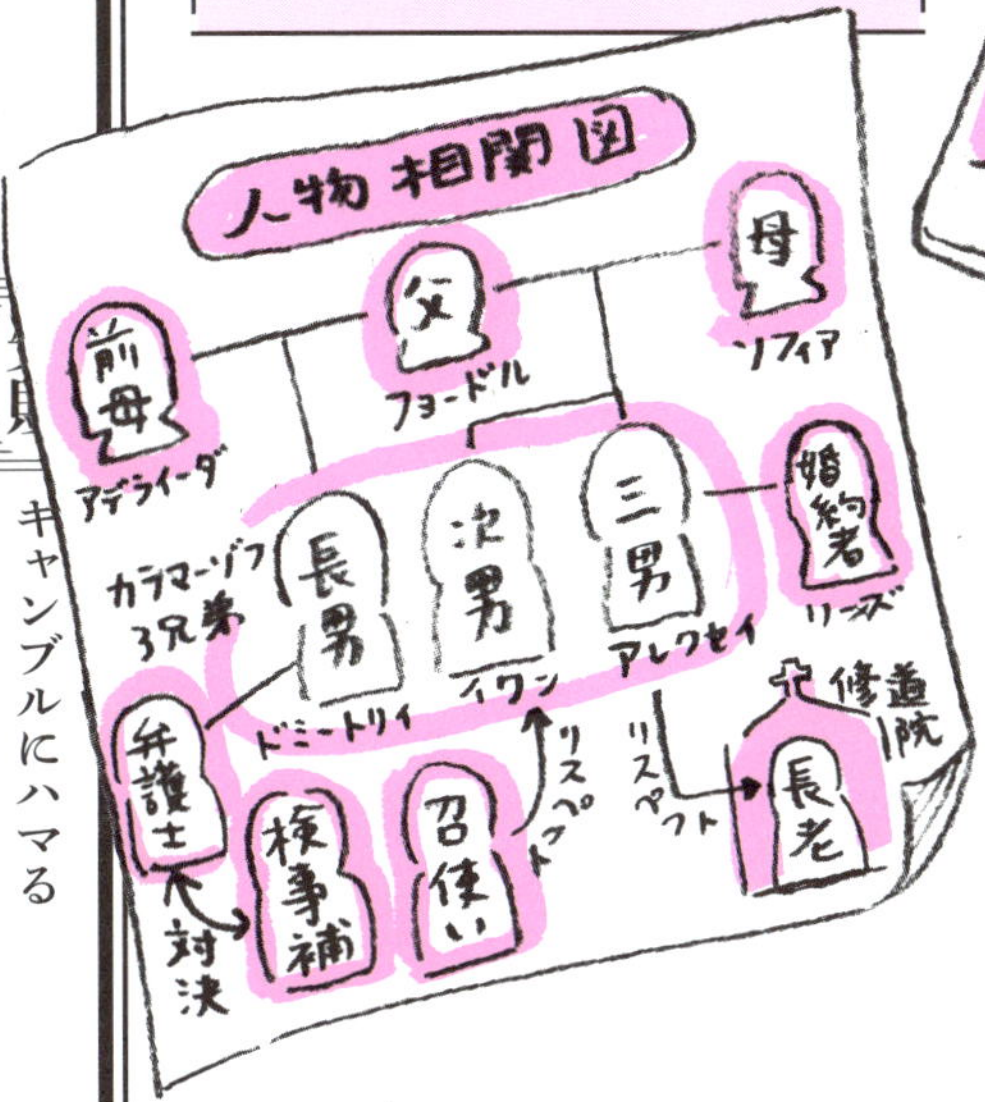

【辞書《じしょ》を用意《ようい》する】

わからない言葉《ことば》はそのままにせず、しっかり調《しら》べましょう。タブレットなどで読《よ》むと、すぐに言葉《ことば》を調《しら》べられるので便利《べんり》です。

【最初《さいしょ》は、がまん】

本《ほん》の最初《さいしょ》は、登場人物《とうじょうじんぶつ》の生《お》い立《た》ちの話《はなし》が多《おお》く、少《すこ》したいくつです。しかも、たいくつなわりにむずかしいので、ほとんどの人《ひと》がここであきらめてしまいます。あらかじめ「最初《さいしょ》はツライ」とわかった上《うえ》で、読《よ》み進《すす》めましょう。

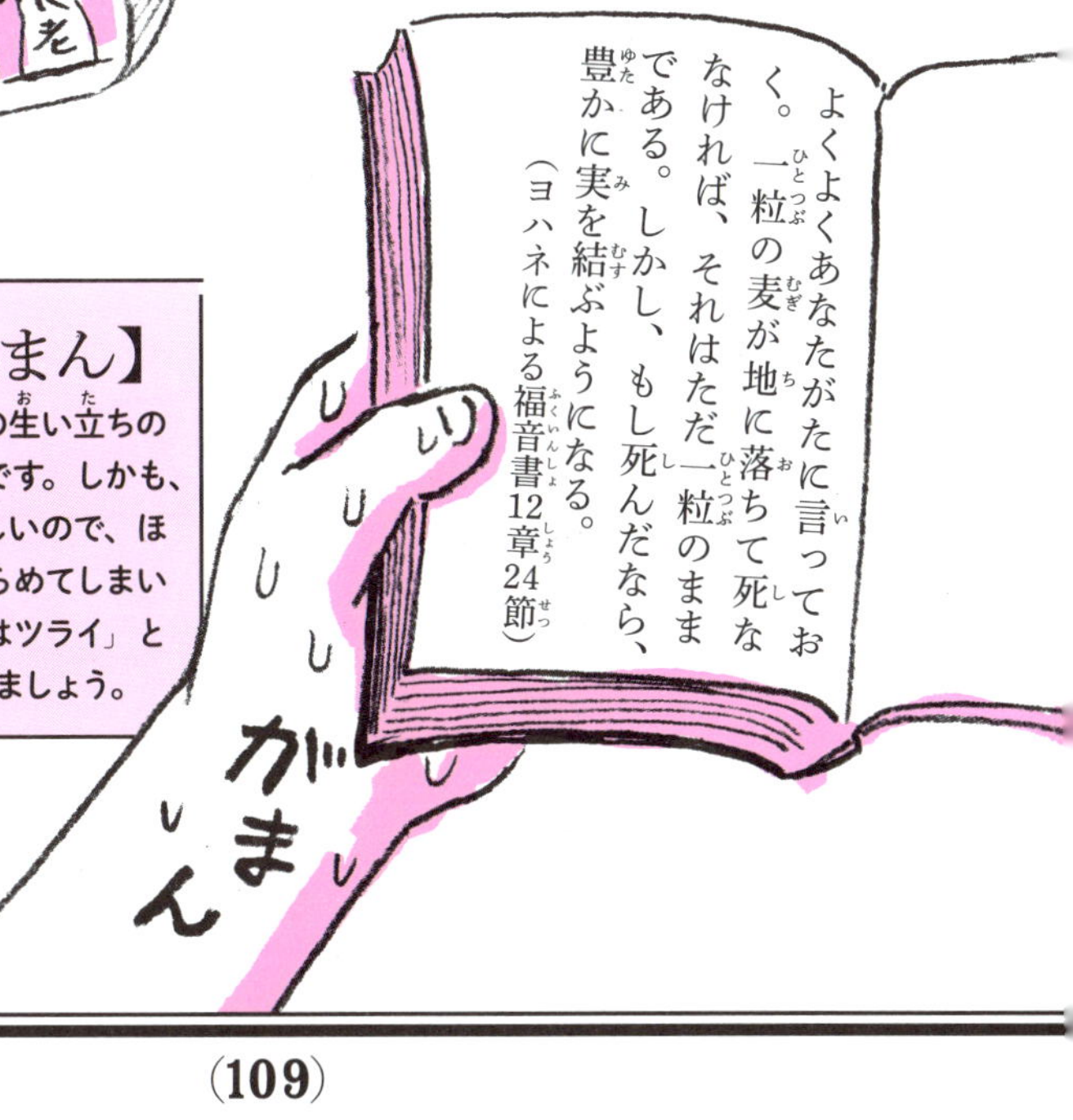

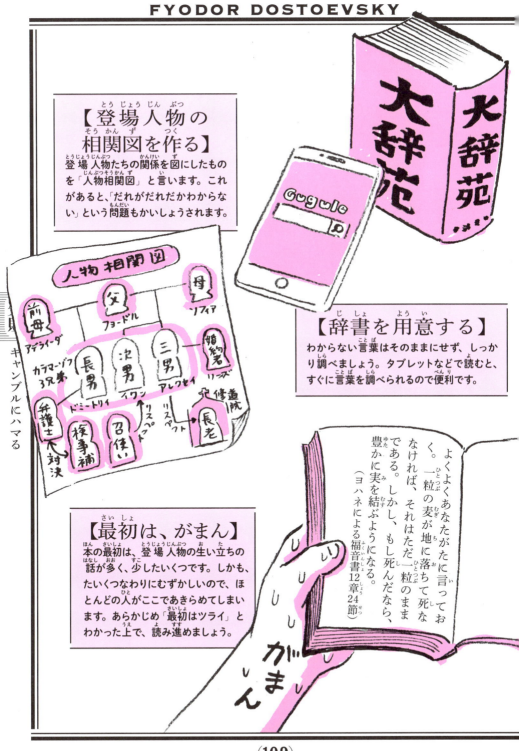

アチャ〜〜

【宗教《しゅうきょう》】
キリスト教信者《きょうしんじゃ》

【過去《かこ》】
死刑《しけい》になりかけ、その後《あと》4年間《ねんかん》、国《くに》のためにむりやり働《はたら》かされたことがある

【代表作《だいひょうさく》】
『賭博者《とばくしゃ》』『罪《つみ》と罰《ばつ》』『カラマーゾフの兄弟《きょうだい》』

【ファン】
アインシュタイン、フロイト、黒澤《くろさわ》明《あきら》、手塚《てづか》治《おさ》虫《む》、村上春樹《むらかみはるき》もドストエフスキーの愛読者《あいどくしゃ》この人《ひと》が、ドストエフスキーです。ルーレットという、回転《かいてん》する円盤《えんばん》に球《たま》を投《な》げ入《い》れ、落《お》ちる場所《ばしょ》の数字《すうじ》を当《あ》てるゲームをしています。ドストエフスキーはこのゲームが大好《だいす》きだったのですが……あまり楽《たの》しそうではありませんね。どうやら予想《よそう》が大《おお》きく外《はず》れ、かけに負《ま》けてしまったようです。

お金《かね》をかけてゲームをし、勝《か》ったらお金《かね》がもうかることを「ギャンブル」と言《い》います。日本《にほん》だと、町《まち》にひとつはあるパチンコ屋《や》さん。ここはギャンブルをするお店《みせ》です。子《こ》どもはもちろん、入《はい》れません。勝《か》てばもうかると言《い》っても、結局《けっきょく》、ギャンブルはお店《みせ》が勝《か》つように作《つく》られているので、お金《かね》をかせげるほど勝《か》つことは、まず無理《むり》です。

それでも、ギャンブルにハマってしまう人《ひと》はたくさんいます。なぜでしょうか。

ギャンブルをしていると、どんどん自分《じぶん》のお金《かね》がなくなっていきます。自分《じぶん》のお金《かね》がなくなるというスリル。でも、もしかしたら、勝《か》ってお金《かね》がもうかるかもしれないという希望《きぼう》。このふたつの気持《きも》ちに心《こころ》を大《おお》きくゆさぶられるおもしろさに、多《おお》くの人《ひと》がとりつかれてしまうのです。

ドストエフスキーも、そうでした。ギャンブルにのめりこみ、やっぱり負《ま》けてお金《かね》がなくなると、自分《じぶん》の本《ほん》を出《だ》してくれる出版社《しゅっぱんしゃ》にたのみこんで、お金《かね》をかりることもありました。

このようにギャンブルにどっぷりハマり、借金《しゃっきん》までしてしまうような人《ひと》は、だいたいまわりの人《ひと》から「人間《にんげん》のクズ」とよばれてしまいます。そう、世界最高《せかいさいこう》けっさくの小説家《しょうせつか》は、「人間《にんげん》のクズ」だったのです！

でも、ドストエフスキーは、小説《しょうせつ》を書《か》かせれば、みりょくてきな人間《にんげん》をえがくことができ、その人《ひと》たちの心《こころ》の深《ふか》い部分《ぶぶん》まで書《か》くことができました。どうして、「人間《にんげん》のクズ」にそんなことができたのでしょう？

その答《こた》えはかんたんです。クズだから、書《か》くことができたのです。

人《ひと》の心《こころ》には、きれいな部分《ぶぶん》もあれば、きたない部分《ぶぶん》もあります。このどちらか一方《いっぽう》しかわからないようでは、人間《にんげん》を書《か》こうと思《おも》っても、半分《はんぶん》しか書《か》けないということになります。

ギャンブルというのは、人間《にんげん》のみにくい心《こころ》がむきだしになることも多《おお》いので、もしかしたら、ドストエフスキーはギャンブルを通《つう》じて、人間《にんげん》のきたない部分《ぶぶん》を見《み》ることができていたのかもしれません。

とはいえ、ふつうは、ギャンブルをして得《とく》をすることなんて、まずありません。お金《かね》と時間《じかん》をむだにして、終《お》わりです。

つまり、ギャンブルにハマる失敗《しっぱい》は、成功《せいこう》にも成長《せいちょう》にもつながらない、まったくもって役立《やくた》たずの失敗《しっぱい》と言《い》えます。

でも、ここで、気《き》をつけてほしいことがありま

す。人《ひと》は、ついつい他人《たにん》のことをかんたんに決《き》めつけてしまいがちです。

ギャンブルをしているからクズ、勉強《べんきょう》ができないからバカ、着《き》ている服《ふく》がダサイからダメ。

もちろん、そう思《おも》ってもかまいません。人《ひと》のことをどう思《おも》おうが、その人《ひと》の自由《じゆう》です。

でも、その人《ひと》の一面《いちめん》だけを見《み》て人格《じんかく》を決《き》めつけ、交流《こうりゅう》すらもとうとしない。それでそんをするのは、自分自身《じぶんじしん》です。

たとえば、ドストエフスキーの作品《さくひん》を「クズが書《か》いた小説《しょうせつ》」と思《おも》ったら、読《よ》まない人《ひと》もいるかもしれません。でも、ドストエフスキーの小説《しょうせつ》は、心《こころ》の深《ふか》くまで書《か》かれていて、読《よ》めば人間《にんげん》という生《い》き物《もの》を今《いま》まで以上《いじょう》に知《し》ることができます。

これを知《し》らないのは、小《ちい》さなそんかもしれません。でも、このような小《ちい》さなそんが積《つ》み重《かさ》なり、大《おお》きなそんになってしまうのです。

だから、悪《わる》い部分《ぶぶん》が先《さき》に見《み》えても、良《よ》い部分《ぶぶん》を見《み》つけるために話《はなし》をしてみるなど、人《ひと》に対《たい》して、つねにきょうみをもつようにすると、毎日《まいにち》がもっとおもしろくなるでしょう。

SPECIAL No.3 特集

失《しっ》敗《ぱい》相《そう》談《だん》室《しつ》その2

【いろいろななやみを一《いっ》気《き》にかいけつ！】

みんながなやみそうな失敗《しっぱい》を、集《あつ》めてみました。

Q.1

勉強《べんきょう》ができなくて、バカにされた。

Q.2

運動《うんどう》が苦手《にがて》。運動会《うんどうかい》でまたビリをとった。

Q.3

歌《うた》がヘタ。みんなの前《まえ》で歌《うた》ったら、先生《せんせい》にまで笑《わら》われた……。

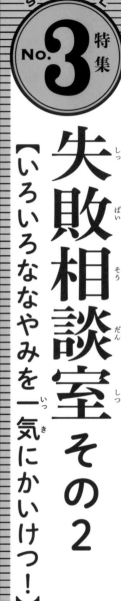

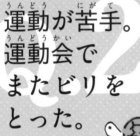

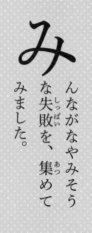

Q.4

超《ちょう》スベった。

Q.5

自分《じぶん》の顔《かお》がきらい。
もうこれだけで
失敗《しっぱい》ですよね？

Q.6

すぐにはずかしくなって、
人前《ひとまえ》では失敗《しっぱい》ばかり。

Q.7

わたしなんて、
しょうらい
失敗《しっぱい》するに
決《き》まってる！

Q.8

モテません。
好《す》きな女《おんな》の子《こ》に
こくはくしても、
いつもフラレます。

さあ、こんなとき、どうすればいいのでしょう。
では、一気《いっき》にかいけつします。

【Q1〜8の答《こた》え】

べつに、いいんじゃね？

バカにしているわけではありません。前《まえ》のページにあるなやみのすべてが、本当《ほんとう》に「気《き》にする必要《ひつよう》がないこと」ばかりなのです。じつは、これらのなやみの前《まえ》には、ひとつの言葉《ことば》がかくされています。それが「他《ほか》の人《ひと》とくらべて」です。

他《ほか》の人《ひと》とくらべて、勉強《べんきょう》ができない。運動《うんどう》ができない。歌《うた》がヘタ。話《はなし》がヘタ。顔《かお》が良《よ》くない。はずかしがりや。しょうらいが不安《ふあん》。モテない……。それなら、他《ほか》の人《ひと》とくらべなければ、これらのなやみはすべてなくなるということです。

「そんなこと言《い》っても、イヤなものはイヤ！」という人《ひと》は、他《ほか》の人《ひと》とくらべずに、昨日《きのう》の自分《じぶん》とくらべるようにしましょう。昨日《きのう》の自分《じぶん》なら、少《すこ》しがんばるだけでかんたんにおいぬくことができます。勉強《べんきょう》ができるようになりたいという人《ひと》は、今日《きょう》、30分《ぷん》でも1時間《じかん》でも勉強《べんきょう》をしてみましょう。そうすれば、昨日《きのう》の自分《じぶん》よりも、少《すこ》し勉強《べんきょう》ができる自分《じぶん》になれます。運動《うんどう》だって、歌《うた》だって、会話《かいわ》だって、外見《がいけん》をみがくことだって、今日《きょう》、努力《どりょく》すれば、昨日《きのう》の自分《じぶん》よりもかくじつに一歩《いっぽ》、成長《せいちょう》できるのです。

「でも、やっぱり自分《じぶん》よりうまくできる人《ひと》がいるのは、くやしい……」そう思《おも》うなら、こう考《かんが》えてみましょう。「この人《ひと》、すごい！」と。人《ひと》には、得意《とくい》なこともあれば、苦手《にがて》なこともあります。だから、人《ひと》の得意《とくい》なところは、すなおにみとめてしまえばいいのです。毎日《まいにち》、昨日《きのう》の自分《じぶん》をおいぬくようにがんばっていれば、いつか必《かなら》ず、自分《じぶん》にも得意《とくい》なことが見《み》つかります。そのとき初《はじ》めて「人《ひと》とくらべないで生《い》きる自分《じぶん》」になれるのです。そうしたら、しめたもの！　ほとんどのなやみを「べつに、いいんじゃね？」と思《おも》える日《ひ》も近《ちか》いでしょう。

失敗 VOL. 17

新《あたら》しすぎた

【人物《じんぶつ》】パブロ・ピカソ（一八八一－一九七三年《ねん》）

【出身地《しゅっしんち》】スペイン【どんなことをした人《ひと》?】画家《がか》

偉《い》大《だい》な芸術家《げいじゅつか》には、ヘンな人《ひと》が多《おお》いものです。サルバドール・ダリ（→22ページ）だってそうですし、ピカソと同《おな》じ時代《じだい》を生《い》きたヴィンセント・ヴァン・ゴッホもまた、かなり変《か》わった人《ひと》でした。

そして、このピカソも、やっぱりヘンな人《ひと》。どこがヘンだったのかと言《い》うと……。

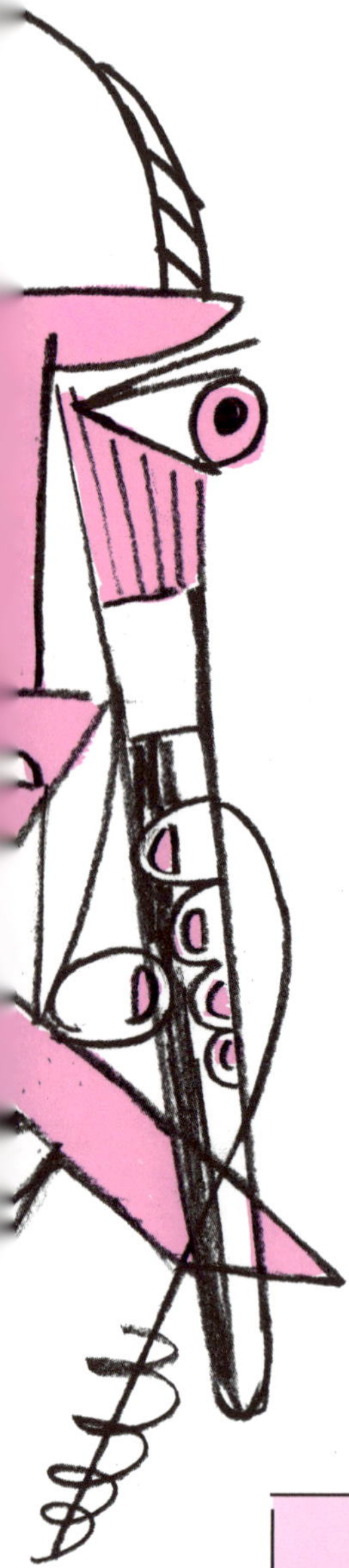

【名前《なまえ》がヘン】

ピカソの本名《ほんみょう》は「パブロ・ディエゴ・ホセ・フランシスコ・デ・パウラ・ファン・ネポムセノ・マリア・デ・ロス・レメディオス・クリスピン・クリスピアノ・デ・ラ・サンテシマ・トリニダード・ルイス・イ・ピカソ（諸説《しょせつ》あり）」という、とんでもなく長《なが》い名前《なまえ》。ピカソ本人《ほんにん》ですら、よく覚《おぼ》えていなかったそうです。

【作品《さくひん》の量《りょう》がヘン】

ピカソの作品《さくひん》は油《あぶら》絵《え》だけでも1万点《まんてん》をこえ、その他《ほか》の作品《さくひん》をふくめると、13万点《まんてん》をこえています。これほどの絵《え》を残《のこ》した画家《がか》は、他《ほか》にいないでしょう。ふだんは、とてもあきっぽかったピカソでしたが、絵《え》だけは、何時間《なんじかん》でもかいていられたそうです。

こんなふうに、たくさんの「ヘン」をもちながらも、死《し》ぬまで人気画家《にんきがか》としてかつやくしたピカソ。しかし、その成功《せいこう》のうらにはもちろん、大《おお》きな失敗《しっぱい》がありました。

【変化《へんか》がヘン】

ピカソは、絵《え》のとくちょうがころころ変《か》わることでも有名《ゆうめい》です。友人《ゆうじん》の死《し》をきっかけに、青《あお》を多《おお》く使《つか》った絵《え》をたくさんかいていた「青《あお》の時代《じだい》」、恋人《こいびと》ができ、はなやかな色《いろ》を好《この》んで使《つか》うようになった「ばら色《いろ》の時代《じだい》」、その後《ご》も「キュビズムの時代《じだい》」「シュルレアリスムの時代《じだい》」など、年代《ねんだい》ごとに絵《え》がガラリと変《か》わります。おもしろいので、学校《がっこう》の図書館《としょかん》などで、ピカソの画集《がしゅう》を見《み》てみてください。

【そもそも、絵《え》がヘン】

ピカソの絵《え》には、一度《いちど》見《み》ただけではよくわからない、おかしな絵《え》がたくさんあります。とくに「キュビズムの時代《じだい》」とよばれるころの絵《え》を見《み》た人《ひと》の中《なか》には、「子《こ》どもの落書《らくが》きみたい」と思《おも》う人《ひと》も多《おお》くいるほどです。では、そんなヘンな絵《え》が、なぜ世《せ》界的《かいてき》に人気《にんき》となり、高《たか》いお金《かね》で買《か》われるようになったのか。それは、後《のち》ほど説明《せつめい》します。

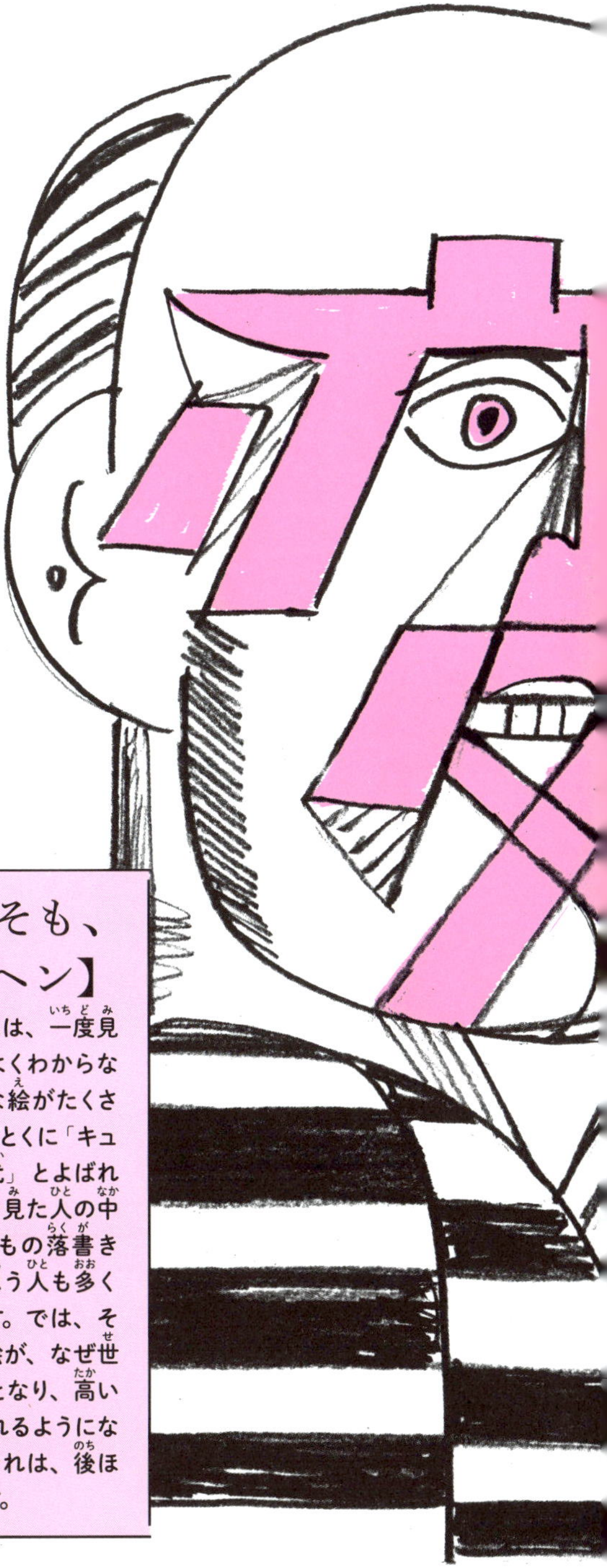

【アチャ〜〜】

【父親《ちちおや》】

父親《ちちおや》は美術《びじゅつ》の先生《せんせい》で、画家《がか》になるのが夢《ゆめ》。でも、ピカソの才能《さいのう》のすごさを知《し》り、13才《さい》のピカソに自分《じぶん》の絵《え》の道具《どうぐ》をすべてわたして、自《じ》分《ぶん》は夢《ゆめ》をあきらめた

【学校《がっこう》】

美術《びじゅつ》の学校《がっこう》に進《すす》んだが、すぐやめた

【代表作《だいひょうさく》】

『ゲルニカ』『泣《な》く女《おんな》』『パイプを持《も》つ少年《しょうねん》』

ピカソがかつやくした１９００年代《ねんだい》は、絵画《かいが》の世界《せかい》が大《おお》きく変《か》わろうとしていた時代《じだい》でした。それまでの絵画《かいが》は、主《おも》に教会《きょうかい》や貴族《きぞく》たちのためのものでした。それが、この時代《じだい》になると、教会《きょうかい》や貴族《きぞく》の力《ちから》が弱《よわ》まり、絵《え》は美術館《びじゅつかん》などにかざられて、だれもが楽《たの》しむものになったのです。

画家《がか》たちは、美術館《びじゅつかん》にかざられるため、他《ほか》のだれにもかけない、自分《じぶん》だけの絵《え》を生《う》み出《だ》そうとしました。ピカソも、自分《じぶん》だけの「新《あたら》しい絵《え》」を見《み》つけようと必死《ひっし》になりました。歩《ある》くとゆかがギシギシと音《おと》をたてるようなボロアパートで、毎日何時間《まいにちなんじかん》も、ひたすらかき続《つづ》けたのです。

そして、とうとう、これこそ自分《じぶん》の絵《え》だと思《おも》えるものを見《み》つけ、そこからさらに「習作《しゅうさく》」という本番前《ほんばんまえ》の練習《れんしゅう》の絵《え》を１００まい以上《いじょう》もかきました。そして26才《さい》の時《とき》、ようやく完成《かんせい》したのが、『アビニョンの娘《むすめ》たち』です。

えがかれた5人《にん》の女性《じょせい》の顔《かお》は、大昔《おおむかし》のアフリカで作《つく》られたマスクのようにあらく、体《からだ》もトゲトゲとしていて、女性《じょせい》の体《からだ》がもつやわらかさはまったく感《かん》じられません。でも、これが、ピカソが思《おも》いえがいた「新《あたら》しい絵《え》」だったのです。だから、自信満々《じしんまんまん》で仲間《なかま》にひろうしました。

しかし、これまでのピカソを知《し》る仲間《なかま》たちは、この絵《え》を見《み》て笑《わら》い、あきれ、中《なか》にはおこり……さんざんなひょうかを下《くだ》したのです。

何年《なんねん》も考《かんが》え、ようやくたどりついた自分《じぶん》の芸術《げいじゅつ》。なのに仲間《なかま》たちすらみとめてくれない……。これまで、絵《え》で落《お》ちこむことのなかったピカソですが、この失敗《しっぱい》にはショックを受《う》け、しばらく絵《え》がかけなくなったと言《い》われています。

こうして、新《あたら》しすぎたことで失敗《しっぱい》したピカソですが、じつは、『アビニョンの娘《むすめ》たち』は「新《あたら》しい絵《え》」ではありません。正《ただ》しく言《い》うと、この絵《え》は「新《あたら》しくなっちゃった絵《え》」なのです。

自分《じぶん》だけの絵《え》を目指《めざ》し、考《かんが》えに考《かんが》え、何《なん》まいも何《なん》まいも習作《しゅうさく》を重《かさ》ねて、ようやくたどりついた絵《え》が、たまたま、これまでだれもかいたことのない絵《え》だった。ただ、それだけのことです。

そして、「本当《ほんとう》の新《あたら》しさ」とは、じつはこのようにして生《う》まれるものです。

「新《あたら》しいことをやってみたい」「人《ひと》がやってないことをやりたい」などの気持《きも》ちで始《はじ》める「新《あたら》しいこと」は、何《なに》しろ目的《もくてき》が「新《あたら》しいことをやること」なので、結果《けっか》はどうでもよいことが多《おお》く、大《たい》したものを生《う》み出《だ》さずに終《お》わることがほとんどです。

だから、みんながもし、世《よ》の中《なか》を変《か》えるような「本当《ほんとう》の新《あたら》しさ」を作《つく》りたいと思《おも》うのなら、ピカソを見習《みなら》い、まずは「自分《じぶん》がやりたいこと」をとことんまで考《かんが》えつくすことから始《はじ》めてみてください。

答《こた》えが出《で》るまでには、何年《なんねん》、何十年《なんじゅうねん》とかかるかもしれません。また、ピカソのようにせっかく形《かたち》にしても、はじめは、まったくみとめてもらえないかもしれません。

でも、それが本当《ほんとう》に「本当《ほんとう》の新《あたら》しさ」だったら、そこで終《お》わってしまうことは、まずありません。『アビニョンの娘《むすめ》たち』は、仲間《なかま》たちからはボロクソに言《い》われましたが、じつはたったふたりだけ、みとめてくれる人《ひと》がいました。

ひとりは、同《おな》じ画家《がか》のジョルジュ・ブラック。そしてもうひとりが、絵《え》を売《う》ることを商売《しょうばい》とする画商《がしょう》、ダニエル＝ヘンリー・カーンワイラーです。ブラックは、その後《ご》、ピカソとともに、さまざまな角度《かくど》から見《み》たものを一《いち》まいの絵《え》におさめる「キュビズム」という新《あたら》しい絵画《かいが》の流《なが》れを作《つく》り出《だ》しました。そして、カーンワイラーは、新《あたら》しいものが大好《だいす》きな人《ひと》たちにピカソの絵《え》のすばらしさを語《かた》り、高《たか》く売《う》りました。

こうして、ピカソは「新《あたら》しい絵《え》を生《う》み出《だ》した天才《てんさい》」という名声《めいせい》と、たくさんのお金《かね》を手《て》に入《い》れ、その後《ご》もアイデアにあふれた絵《え》をかき続《つづ》けることで、一生《いっしょう》、人気画家《にんきがか》としてすごしたのです。

本当《ほんとう》に新《あたら》しいものの中《なか》には、それが生《う》まれるまでに費《つい》やされた時間《じかん》の分《ぶん》だけ、たましいが宿《やど》ります。そして、そのたましいに心《こころ》をゆさぶられる人《ひと》が、必《かなら》ずどこかにいるものなのです。

失敗 VOL. 18

調《ちょう》子《し》にのる

【人物《じんぶつ》】野口英世《のぐちひでよ》（一八七六－一九二八年《ねん》）
【出身地《しゅっしんち》】日本《にほん》【どんなことをした人《ひと》？】細菌学者《さいきんがくしゃ》

それは、まだかれが1才《さい》の時《とき》でした。

囲炉裏《いろり》に落《お》ちた「清作《せいさく》」は、左手《ひだりて》の指《ゆび》がくっついてしまうほどのやけどを負《お》いました。清作《せいさく》の母《はは》シカは思《おも》いました。

「こんな手《て》では、まともな仕事《しごと》はできない。学問《がくもん》で生《い》きていくしかない」

シカは必死《ひっし》に働《はたら》いて、清作《せいさく》の学費《がくひ》をかせぎました。そんな母《はは》の思《おも》いに答《こた》えるべく、いっしょうけんめいに勉強《べんきょう》する清作《せいさく》。

そんなすがたに、先生《せんせい》や友人《ゆうじん》たちは心《こころ》を打《う》たれ、みんなでお金《かね》を出《だ》し合《あ》って、清作《せいさく》に左手《ひだりて》のしゅじゅつを受《う》けさせてあげることにしました。

しゅじゅつは成功《せいこう》。くっついていた左手《ひだりて》の指《ゆび》は、すべて開《ひら》くようになりました。母《はは》からの強《つよ》い愛《あい》、仲間《なかま》からの温《あたた》かい友情《ゆうじょう》。清作《せいさく》は思《おも》いました。

「おうえんしてくれる人《ひと》たちのために、はずかしくない自分《じぶん》にならなくてはいけない」

勉強《べんきょう》しました。お医者《いしゃ》さんを目指《めざ》し、たくさん勉強《べんきょう》しました。こまった人《ひと》がいたとき、今度《こんど》は、自分《じぶん》が助《たす》けてあげられるように……。

時《とき》がすぎ、清作《せいさく》は「英世《ひでよ》」と名《な》を変《か》え、アメリカの研究室《けんきゅうしつ》にいました。英世《ひでよ》は、お医者《いしゃ》さんではなく、病気《びょうき》を治《なお》す方法《ほうほう》を見《み》つける研究者《けんきゅうしゃ》になったのです。ねる間《ま》もおしんで研究《けんきゅう》を続《つづ》けた英世《ひでよ》は、成功《せいこう》を重《かさ》ね、ついに世界《せかい》からそんけいされる研究者《けんきゅうしゃ》となりました。

そして、英世《ひでよ》は最後《さいご》の戦《たたか》いの地《ち》、アフリカへ。そこで、多《おお》くの人《ひと》を苦《くる》しめていた黄熱病《おうねつびょう》の研究《けんきゅう》をしていた英世《ひでよ》は、なんと自《みず》から黄熱病《おうねつびょう》にかかり、帰《かえ》らぬ人《ひと》となってしまったのです……。

病気《びょうき》に苦《くる》しむ人《ひと》のため、死《し》をもおそれず戦《たたか》った野口英世《のぐちひでよ》。彼《かれ》の勇《いさ》ましいすがたは、わたしたちの心《こころ》の中《なか》で生《い》き続《つづ》けることでしょう。

こんなにすばらしい人《ひと》が、失敗《しっぱい》なんてしているのでしょうか？

〔アチャ〜〜〕

【特技《とくぎ》】
スポイトで薬《くすり》を落《お》とすのがめっちゃうまい

【代表作《だいひょうさく》】
蛇毒《へびどく》の研究《けんきゅう》（この他《ほか》の野口英世《のぐちひでよ》の発見《はっけん》は、後《のち》にほとんどあやまりとされている）

【趣味《しゅみ》】
油絵《あぶらえ》、俳句《はいく》、短歌《たんか》など

「え？　おれがだれかって？　英世《ひでよ》だよ。野口英世《のぐちひでよ》！　え？　何《なに》してるかって？　そりゃ決《き》まってるだろ？　パーティーだよ。パーリー！　さあ、細《こま》かいことはいいからさ、酒《さけ》でも飲《の》みなよ。金《かね》？　ああ、気《き》にすんなって。ほら、ここにいっぱいあるからさ。あ？　どこから金《かね》を手《て》に入《い》れたかって？　おれ、今度《こんど》アメリカに行《い》くんだけどさ、そのための金《かね》がけっこうあるんだよ。だから今日《きょう》はパーッと飲《の》んで、おどろうぜ！」

こんな感《かん》じだったかどうかはわかりませんが、とにかく英世《ひでよ》は、お金《かね》が入《はい》ると、好《す》きなだけ遊《あそ》んであっという間《ま》に使《つか》い切《き》ってしまうという、とんでもない人《ひと》だったのです。

しかも、それは自分《じぶん》でかせいだお金《かね》ではないことがほとんどでした。英世《ひでよ》は、しょうらいを期待《きたい》されていたので、いろいろな人《ひと》からたびたびお金《かね》をえんじょされていました。そのお金《かね》を、大切《たいせつ》なお金《かね》とわかっていながら、遊《あそ》びで使《つか》ってしまうのです。

つまり、英世《ひでよ》は、親切《しんせつ》な人《ひと》の気持《きも》ちをうらぎるという失敗《しっぱい》を、たびたびくりかえしていたのです。

右《みぎ》の絵《え》のときも、アメリカに留学《りゅうがく》するための500円《えん》（今《いま》のお金《かね》で1000万円《まんえん》くらい）という大金《たいきん》を、ひとばんで使《つか》いはたしたと言《い》われています。

さすがの英世《ひでよ》も、このときばかりは落《お》ちこみ、目《め》の前《まえ》が真《ま》っ暗《くら》になった……かもしれません。

どうする？　英世《ひでよ》！

なんとかなりました。

英世《ひでよ》は、お金《かね》でこまると「血《ち》脇守之助《わきもりのすけ》」という人《ひと》にたのみこみます。歯医者《はいしゃ》をしていた守之助《もりのすけ》は、とにかく英《ひで》世《よ》のさいのうにほれていました。だから、英世《ひでよ》がお金《かね》づかいがあらいとわかっていても、何度《なんど》も助《たす》けてくれていたのです。

しかも、アメリカ行《い》きのお金《かね》を使《つか》ってしまったときは、守之助《もりのすけ》自身《じしん》がお金《かね》をかりて、それを英《ひで》世《よ》にわたすという、とんでもなくありがたいことまでしてくれました。

さすがに、英世《ひでよ》もこれで目《め》が覚《さ》めました。アメリカに行《い》ってからは、アメリカ人研究者《じんけんきゅうしゃ》から「日本人《にほんじん》はねないのか?」と思《おも》われるほど、研究《けんきゅう》に集中《しゅうちゅう》したのです。

そう、英世《ひでよ》の得意《とくい》わざは「努力《どりょく》」。遊《あそ》びまくっているすがたからはそうぞうできませんが、勉強《べんきょう》や研究《けんきゅう》に対《たい》しては、努力《どりょく》をおしまない人《ひと》だったのです。他《ほか》の研究者《けんきゅうしゃ》が「めんどうだから」とさけていた研究《けんきゅう》にもすすんで取《と》り組《く》み、成功《せいこう》させていました。

とんでもない失敗《しっぱい》をくりかえしても人《ひと》からゆるされ、おうえんされ続《つづ》けていたひみつも、ここにあったのです。

失敗《しっぱい》して人《ひと》にめいわくをかけると、大事《だいじ》なも

のを失《うしな》います。「信用《しんよう》」です。人《ひと》と人《ひと》との関係《かんけい》において、これほど大切《たいせつ》なものはありません。

英世《ひでよ》は何度《なんど》も信用《しんよう》を失《うしな》いました。しかし、研究《けんきゅう》や勉強《べんきょう》に対《たい》して努力《どりょく》することだけは決《けっ》してわすれなかったので、失《うしな》われた信用《しんよう》を取《と》りもどすことができたのです。

みんなもこれから、失敗《しっぱい》して、人《ひと》にめいわくをかけることがあると思《おも》います。

このとき、失敗《しっぱい》をゆるされたとしても、信用《しんよう》はかくじつに失《うしな》われています。見方《みかた》を変《か》えれば、その人《ひと》は信用《しんよう》と引《ひ》きかえに、みんなの失敗《しっぱい》をゆるしてくれたのです。

でも、英世《ひでよ》がそうだったように、信用《しんよう》は取《と》りもどすことができます。

だから、まずは「どうして今《いま》まで自分《じぶん》は信用《しんよう》されていたのか」を考《かんが》えましょう。

信用《しんよう》を失《うしな》うと、ついつい「自分《じぶん》の悪《わる》かった部分《ぶぶん》」に目《め》がいってしまいがちです。でも、信用《しんよう》を取《と》りもどしたいなら、これまで自分《じぶん》が信用《しんよう》されていた理由《りゆう》＝「自分《じぶん》の良《よ》い部分《ぶぶん》」のほうに目《め》を向《む》けてください。それこそが、ふたたびその人《ひと》と笑《わら》い合《あ》える道《みち》を作《つく》ってくれるはずです。

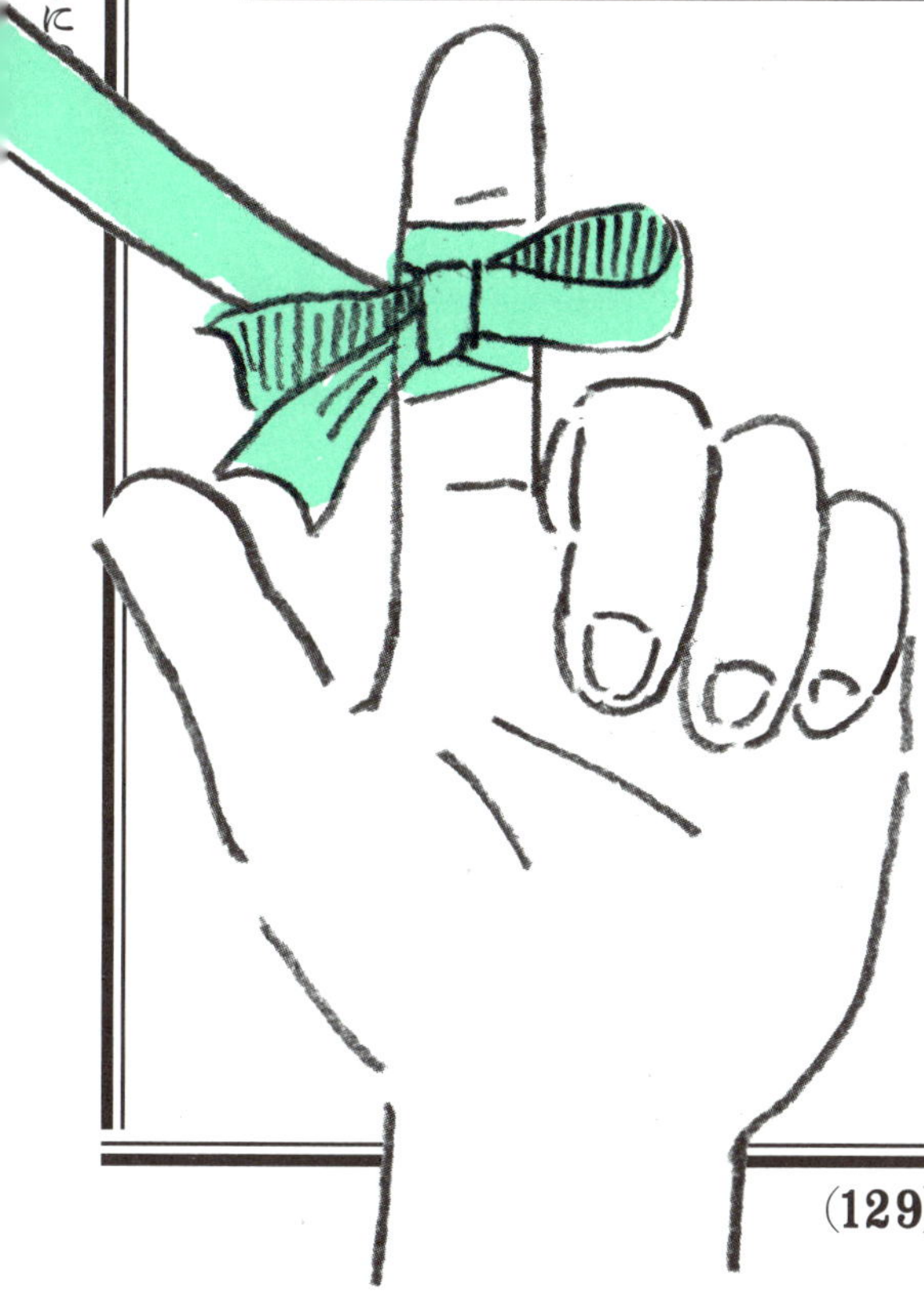

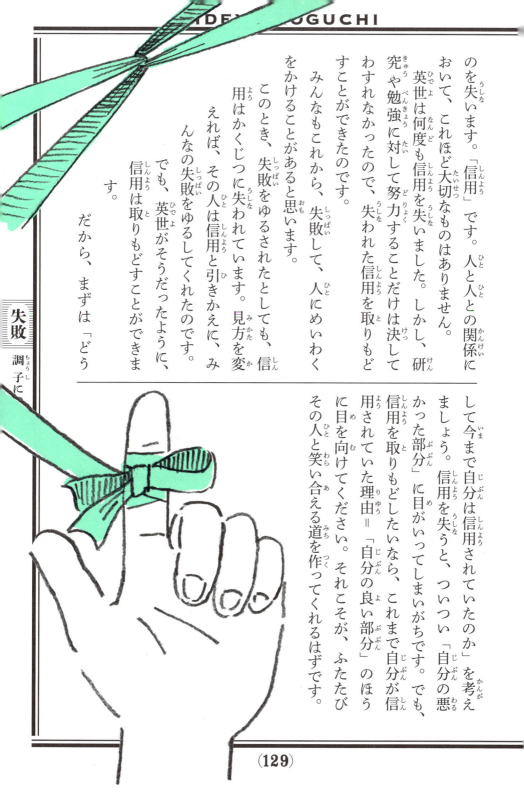

失敗 VOL. 19

こだわりすぎる

【人物《じんぶつ》】黒澤《くろさわ》明《あきら》（一九一〇－一九九八年《ねん》）
【出身地《しゅっしんち》】日本《にほん》
【どんなことをした人《ひと》？】映画監督《えいがかんとく》

映《えい》画監督《がかんとく》、黒澤明《くろさわあきら》。かれは日本人《にほんじん》なのに「世界《せかい》のクロサワ」とよばれています。

どうして「世界《せかい》の」なのかと言《い》うと、まだ日《に》本《ほん》が世界《せかい》と戦《たたか》えるほどの力《ちから》をもっていない時代《じだい》に、黒澤《くろさわ》の映画《えいが》は、世界中《せかいじゅう》から高《たか》いひょうかを受《う》けていたからです。世界《せかい》の映画監督《えいがかんとく》たちにもえいきょうをあたえ、黒澤《くろさわ》の映画《えいが》を参考《さんこう》に、映画史《えいがし》に残《のこ》る数々《かずかず》の名作《めいさく》、名《めい》シーンが作《つく》られました。

たとえば、こんな感《かん》じです。

『スター・ウォーズ エピソード4 新《あら》たなる希望《きぼう》』（1977年公開《ねんこうかい》）監督《かんとく》：ジョージ・ルーカス

世界的《せかいてき》に大《だい》ヒットした「スター・ウォーズシリーズ」。じつは、この作《さく》品《ひん》に登場《とうじょう》する主《おも》なキャラクターは、黒澤《くろさわ》の『隠《かく》し砦《とりで》の三悪人《さんあくにん》』という映画《えいが》に登場《とうじょう》した人物《じんぶつ》を参考《さんこう》にして作《つく》られたと言《い》われています。

『隠《かく》し砦《とりで》の三悪人《さんあくにん》』（1958年公開《ねんこうかい》）監督《かんとく》：黒澤明《くろさわあきら》

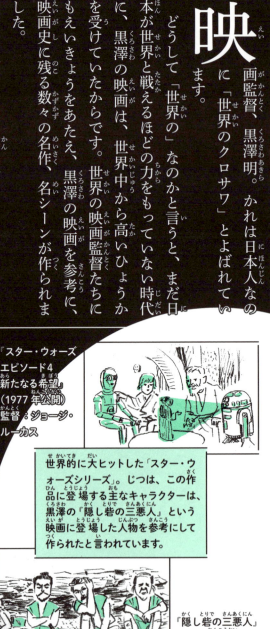

『シンドラーのリスト』
（1993 年公開《ねんこうかい》）
監督《かんとく》：スティーヴン・スピルバーグ

白黒《しろくろ》の映画《えいが》ですが、このシーンに出《で》てくる女《おんな》の子《こ》の服《ふく》にだけ赤《あか》い色《いろ》がついていました。これは、黒澤《くろさわ》の『天国《てんごく》と地獄《じごく》』で、えんとつから赤《あか》いけむりが出《で》るシーンをヒントにして作《つく》られました。

『天国《てんごく》と地獄《じごく》』
（1963 年公開《ねんこうかい》）
監督《かんとく》：黒澤《くろさわ》 明《あきら》

『ゴッドファーザー』（1972 年公開《ねんこうかい》）
監督《かんとく》：フランシス・フォード・コッポラ

マフィアの世界《せかい》をえがいた『ゴッドファーザー』。この映画《えいが》は、結婚式《けっこんしき》のシーンから始《はじ》まりますが、これは、同《おな》じく結婚式《けっこんしき》から始《はじ》まる黒澤《くろさわ》の『悪《わる》い奴《やつ》ほどよく眠《ねむ》る』をまねて作《つく》られました。

『悪《わる》い奴《やつ》ほどよく眠《ねむ》る』
（1960 年公開《ねんこうかい》）監督《かんとく》：黒澤《くろさわ》 明《あきら》

どれも、大人《おとな》ならほとんどの人《ひと》が知《し》っている、有名《ゆうめい》な作品《さくひん》ばかりです。どうして黒澤《くろさわ》は、ここまで世界中《せかいじゅう》からみとめられ、愛《あい》されたのでしょう。

そのひみつは、自分《じぶん》のやりたいことに、とことんこだわり、てっていてきに作《つく》りこむ、そのさつえいスタイルにありました。でも、このすばらしいはずのやり方《かた》が、後《のち》に大《おお》きな失敗《しっぱい》をまねくことになってしまったのです。

アチャ〜〜〜

【代表作《だいひょうさく》】

『羅生門《らしょうもん》』『七人《しちにん》の侍《さむらい》』『生《い》きる』

【本《ほん》が好《す》き①】

ロシア文学《ぶんがく》がとくに好《す》きで、ドストエフスキーやツルゲーネフなど、何度《なんど》も何度《なんど》も読《よ》み返《かえ》していた

【本《ほん》が好《す》き②】

黒澤家《くろさわけ》では、本《ほん》をすてたり、あげたりしてはダメ。本《ほん》の上《うえ》をまたぐのも、失礼《しつれい》だからダメ

なんと、「世界《せかい》のクロサワ」が、映画《えいが》を作《つく》らせてもらえなくなってしまったのです！

ひとつの作品《さくひん》をてっていてきに作《つく》りこむのが黒澤流《くろさわりゅう》。そのこだわりはハンパなく、ただ歩《ある》くだけのシーンも、自分《じぶん》のイメージに合《あ》うまで何度《なんど》もとり直《なお》す。馬《うま》に乗《の》るシーンでは、理想《りそう》の馬《うま》を作《つく》るために、何《なん》か月《げつ》も前《まえ》から馬《うま》のトレーニングをする。まずしい農民《のうみん》のいしょう作《づく》りでは、完成《かんせい》したいしょうをいったん土《つち》にうめ、何日《なんにち》かおいてからほり出《だ》してタワシでこすり、さらにスタッフがじっさいに着《き》て生活《せいかつ》することで古《ふる》びた感《かん》じを出《だ》すなど、細《こま》かいところまで決《けっ》して手《て》をぬくことはありませんでした。

こんなやり方《かた》をしていれば、時間《じかん》とお金《かね》がかかるのは当《あ》たり前《まえ》。それでも、役者《やくしゃ》やスタッフは黒澤《くろさわ》のこだわりをりかいし、ついていきました。問題《もんだい》は、映画《えいが》を作《つく》るお金《かね》を出《だ》し、できた映《えい》画《が》のせんでんなどをする映画会社《えいがかいしゃ》です。黒澤《くろさわ》は映画会社《えいがかいしゃ》から、とにかくきらわれていました。

そのため、作品《さくひん》が海外《かいがい》の映画祭《えいがさい》でたくさん賞《しょう》をもらっているにもかかわらず、「黒澤《くろさわ》の映《えい》画《が》はお金《かね》がかかりすぎる」と、すべての映画会《えいががい》社《しゃ》から協力《きょうりょく》をことわられてしまったのです。

アメリカの映画会社《えいがかいしゃ》から「監督《かんとく》をやらないか？」とさそわれたこともありましたが、アメリカでのさつえいはうまくいかず、作品《さくひん》は完成《かんせい》しない。「それなら自分《じぶん》で」と、黒澤自身《くろさわじしん》がお金《かね》を用意《ようい》して映画《えいが》を作《つく》りましたが、これがまったくヒットせず、大失敗《だいしっぱい》……。

つかれはてた黒澤《くろさわ》は、とうとう自分《じぶん》で命《いのち》をたとうとするほどに、おいこまれてしまったのです。

大《だい》好《す》きな映画《えいが》がとれず、生《い》きることもギリギリだった黒澤《くろさわ》。でも、ここで、救《すく》いの手《て》がさしのべられます。それは、なんとロシアからでした。

ロシア文学《ぶんがく》のファンだった黒澤《くろさわ》は、以前《いぜん》『白《はく》痴《ち》』というドストエフスキーの小説《しょうせつ》を映画《えいが》にしたことがありました。この映画《えいが》がロシアで高《たか》いひょうかを受《う》けていたこともあって、ロシアからえんじょの申《もう》し出《で》があり、監督《かんとく》としてふたたびメガホンを取《と》ることができたのです。

完成《かんせい》した作品《さくひん》『デルス・ウザーラ』は、大《だい》ひょうばんとなり、いくつもの賞《しょう》をもらいました。

その後《あと》も、黒澤《くろさわ》は映画《えいが》を芸術《げいじゅつ》とみとめる人《ひと》や国《くに》からえんじょを受《う》け、88才《さい》でなくなるまで、大好《だいす》きな映画《えいが》をとり続《つづ》けました。

作品《さくひん》づくりにお金《かね》をかけすぎて、日本《にほん》の映画《えいが》会社《がいしゃ》からきらわれた黒澤明《くろさわあきら》。でも、そんなかれを救《すく》ったのは、他《ほか》でもない、これまでこだわって作《つく》ってきた最高《さいこう》の作品《さくひん》たちだったのです。

作品《さくひん》はうらぎらない。全力《ぜんりょく》をぶつけて何《なに》かを作《つく》るけいけんは、たとえそのときは失敗《しっぱい》しても、後《あと》で必《かなら》ず大《おお》きな成功《せいこう》を運《はこ》んできてくれます。

また、黒澤《くろさわ》は言《い》います。

「愚劣《ぐれつ》なものがはびこれば、選択《せんたく》する力《ちから》は落《お》ちる。そうなると良《よ》い才能《さいのう》が育《そだ》たない」

愚劣《ぐれつ》とは、バカらしく何《なん》の価値《かち》もないこと。愚劣《ぐれつ》な作品《さくひん》ばかり見《み》て育《そだ》った人《ひと》は、どれだけ才《さい》能《のう》があっても、良《よ》い作品《さくひん》を作《つく》ることができない。だから、黒澤《くろさわ》は自分《じぶん》のためだけでなく、未来《みらい》の映画界《えいがかい》のためにも、良《よ》い作品《さくひん》を作《つく》り続《つづ》けたのです。

だから、みんなも名作《めいさく》とよばれる作品《さくひん》を、できるだけたくさん観《み》ておきましょう。これは、物《もの》を作《つく》る仕事《しごと》だけでなく、あらゆる仕事《しごと》をする上《うえ》で、必《かなら》ずプラスになります。

名作《めいさく》には、作《つく》り手《て》たちの「たましい」がこめられています。このような作品《さくひん》に数多《かずおお》くふれておくと、自分《じぶん》が何《なに》かしなければいけないとき、これまで観《み》てきた名作《めいさく》たちが、自分《じぶん》のたましいのもやし方《かた》を感覚《かんかく》で教《おし》えてくれます。

自分《じぶん》が心《こころ》から楽《たの》しめ、さらに人《ひと》からみとめられるような仕事《しごと》ができるかどうかは、このたましいをもやす感覚《かんかく》をもっているかいないかで、大《おお》きく変《か》わります。

今《いま》は、わからないかもしれません。でも、この言葉《ことば》の意味《いみ》は、しょうらいきっとわかるようになるので、心《こころ》のかたすみに残《のこ》しておいてください。

失敗 VOL. 20

親《おや》の期《き》待《たい》をうらぎる

【人物《じんぶつ》】チャールズ・ダーウィン（一八〇九－一八八二年《ねん》）
【出身地《しゅっしんち》】イギリス【どんなことをした人《ひと》？】自然科学者《しぜんかがくしゃ》

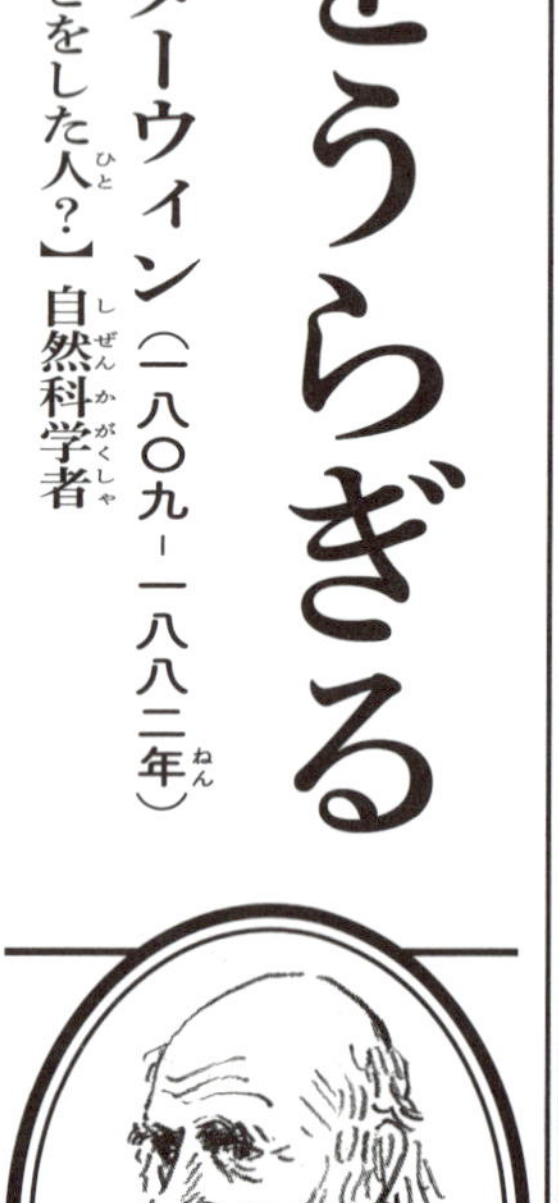

わたしは、チャールズ・ダーウィン。自由気《じゆうき》ままに生《い》き物《もの》の研究《けんきゅう》などをして生《い》きている。

ビーグル号《ごう》での航海《こうかい》を思《おも》い返《かえ》している。わたしは、船長《せんちょう》の話《はな》し相手《あいて》になることをじょうけんに船《ふね》に乗《の》せてもらい、約《やく》5年間《ねんかん》、アフリカや南米《なんべい》を回《まわ》り、たくさんの生《い》き物《もの》を観察《かんさつ》した。数々《かずかず》のスケッチ、数々《かずかず》の標本《ひょうほん》。世界《せかい》は、見《み》たこともないふしぎな生《い》き物《もの》でみちあふれていた！

とくに、航海《こうかい》のとちゅうで立《た》ちよったガラパゴス諸島《しょとう》は、きょうれつだった。他《ほか》の土地《とち》では

見《み》ることのできない、さまざまな動植物《どうしょくぶつ》たち。中《なか》には、同《おな》じ種類《しゅるい》の鳥《とり》なのに、島《しま》によってくちばしの形《かたち》がちがう鳥《とり》もいた。同《おな》じ鳥《とり》なのに、なぜ、ちがう形《かたち》になるのだろう……。

すべての生《い》き物《もの》は神様《かみさま》が作《つく》った。だから生《い》き物《もの》は進化《しんか》なんてしない。そう思《おも》われていた時代《じだい》が長《なが》く続《つづ》いたが、今《いま》、ようやく生《い》き物《もの》が進化《しんか》することが広《ひろ》まりつつある。

しかし、今信《いましん》じられている進化《しんか》は、本当《ほんとう》に正《ただ》しいすがたなのだろうか。すでにある生《い》き物《もの》が、まるでパワーアップでもするように新《あら》たな力《ちから》を手《て》に入《い》れる。これが今信《いましん》じられている進化《しんか》だが、それではまるで、200年後《ねんご》の未来《みらい》でゲームに出《で》てくる、モンスターではないか。

わたしが長《なが》い船旅《ふなたび》で見《み》てきたものから考《かんが》えると、そのような進化《しんか》はおかしい。

わたしは、進化《しんか》について、しんけんに考《かんが》えてみることにした。

左《ひだり》にある、木《き》のえだのような図《ず》。これが、わたしの考《かんが》える進化《しんか》である。

生《い》き物《もの》というのは、同《おな》じ種類《しゅるい》であっても、少《すこ》しずつちがう。われわれ人間《にんげん》も、まったく同《おな》じ顔《かお》、体《からだ》をしたものはいない。これを個《こ》性《せい》とよぶが、動物《どうぶつ》の場合《ばあい》、個性《こせい》がかんきょうに合《あ》わないと死《し》んでしまう。

かんきょうに合《あ》った個性《こせい》だけが生《い》き残《のこ》り、その子《こ》どもがまたちがう個性《こせい》をもち、また、かんきょうに合《あ》ったものだけが生《い》きのこる。これを長《なが》い間《あいだ》くりかえしていくことで、同《おな》じ種類《しゅるい》でも、それぞれまったくちがう生《い》き物《もの》へと変《か》わっていくというわけだ。

たとえば、ガラパゴス諸島《しょとう》にいる鳥《とり》が、すんでいる島《しま》によってくちばしの形《かたち》がちがうのは、島《しま》ごとに食《た》べるものがちがうからだ。きっと、もっと長《なが》い年月《ねんげつ》がたてば、他《ほか》の体《からだ》の部分《ぶぶん》にもいろいろなちがいがあらわれ、まったくちがうすがたの鳥《とり》にな

るだろう。

つまり、進化《しんか》とは、ぐうぜん生《う》まれた個性《こせい》が、かんきょうに選《えら》ばれることによって、生《い》き物《もの》に変化《へんか》をもたらすことなのだ。

わたしは、これを『種《しゅ》の起源《きげん》』という本《ほん》にまとめ、発表《はっぴょう》した。生《い》き物《もの》について調《しら》べる学問《がくもん》を「生物学《せいぶつがく》」と言《い》うが、この本《ほん》が、その始《はじ》まりとも言《い》われている。

わたしが、後《のち》の世《よ》で偉人《いじん》と言《い》われているのは、もしかしたら、この本《ほん》によって生物学《せいぶつがく》そのものを進化《しんか》させたからなのかもしれないな。

え？　そんなむずかしい話《はなし》はもういいから、わたしの失敗《しっぱい》を聞《き》かせてほしいって？

うーん、とくに失敗《しっぱい》はしていないのだが……。

【アチャ〜〜】

【お金《かね》】
研究者《けんきゅうしゃ》になった後《あと》は、もっていたお金《かね》を運用《うんよう》して、ちゃっかりかせいでいた

【家族《かぞく》】
おさななじみと結婚《けっこん》。10人《にん》の子《こ》どものめんどうをよく見《み》て、とてもかわいがった

【代表作《だいひょうさく》】
『種《しゅ》の起源《きげん》』「ミミズの研究《けんきゅう》」「フジツボの研究《けんきゅう》」

生《い》き物《もの》の進化《しんか》のなぞを明《あき》らかにした、偉大《いだい》な研究者《けんきゅうしゃ》ダーウィン。でも、じつはこの人《ひと》、一度《いちど》も働《はたら》いたことがありません。

働《はたら》きもせず、働《はたら》くための努力《どりょく》もしない。そのような人《ひと》を今《いま》の時代《じだい》では「ニート」とよびますが、ダーウィンはまさに、今《いま》の時代《じだい》ならばニートとよばれるような人《ひと》だったのです。

でも、生《い》きていくためにはお金《かね》が必要《ひつよう》。じゃあ、ダーウィンはどうやってお金《かね》を手《て》に入《い》れていたのかというと、それは親《おや》。

ダーウィンの家《いえ》は、有名《ゆうめい》なお医者《いしゃ》さんで、大《おお》金持《がねも》ちでした。だから、ダーウィンは、親《おや》からお金《かね》をもらって生活《せいかつ》していたのです。

でも、親《おや》だって、ただお金《かね》をわたしていたわけではありません。

親《おや》は、医者《いしゃ》になってほしいと、ダーウィンを学校《がっこう》に通《かよ》わせていました。でも、医者《いしゃ》にはなりたくないと言《い》い出《だ》す。じゃあ、教会《きょうかい》で働《はたら》く「牧師《ぼくし》」にしようと、また学校《がっこう》に通《かよ》わせても、勉強《べんきょう》なんてちっともしないで、昆虫採集《こんちゅうさいしゅう》や狩《か》りに夢中《むちゅう》になってばかり。

ようやく学校《がっこう》を出《で》て、まじめに働《はたら》くかと思《おも》ったら、今度《こんど》は軍人《ぐんじん》の船《ふね》に乗《の》って旅《たび》に出《で》てしまう。帰《かえ》ってきたら牧師《ぼくし》になるという約束《やくそく》で送《おく》り出《だ》したのに、帰《かえ》ってくると、約束《やくそく》を守《まも》るどころか、昆虫《こんちゅう》や動物《どうぶつ》の研究《けんきゅう》にさらに熱中《ねっちゅう》するしまつ。

その間《かん》、ダーウィンの生活《せいかつ》は全部《ぜんぶ》、親《おや》の金《かね》。

今《いま》でこそ、偉人《いじん》として名《な》を残《のこ》しているダーウィンですが、じつは、親《おや》の期待《きたい》をうらぎり続《つづ》け、親《おや》にたより続《つづ》けたニートだったのです。

とはいえ、ダーウィンが親《おや》の期待《きたい》をうらぎっていたのは、この船旅《ふなたび》から帰《かえ》って来《き》たところまで。

ダーウィンは、旅《たび》のとちゅうで見《み》たことを、科《か》学者《がくしゃ》で友人《ゆうじん》のヘンズローに手紙《てがみ》で知《し》らせていました。そして、ヘンズローは、その手紙《てがみ》のないようを仲間《なかま》たちに広《ひろ》めていたため、船旅《ふなたび》から帰《かえ》ってきたとき、ダーウィンの名前《なまえ》は、科学《かがく》の世界《せかい》でちょっとだけ有名《ゆうめい》になっていました。

ここから、ダーウィンは科学者《かがくしゃ》の道《みち》へとつき進《すす》んでいきます。ダーウィンの親《おや》も「科学者《かがくしゃ》としてがんばるなら」と、家《いえ》の近《ちか》くに研究所《けんきゅうじょ》を作《つく》ってあげるなど、おうえんするようになりました。

じつは親《おや》が子《こ》どもに願《ねが》うことは、たったひとつ。「しあわせになってほしい」これだけです。

ダーウィンの親《おや》は、医者《いしゃ》や牧師《ぼくし》の道《みち》をすすめましたが、それは「ぜったいにこの仕事《しごと》についてほしい」という気持《きも》ちからではなく、ただ、子《こ》どものしあわせを思《おも》って、言《い》っていただけなのです。

結局《けっきょく》、ダーウィンはそれらの道《みち》には進《すす》みませんでしたが、自分《じぶん》の力《ちから》で研究者《けんきゅうしゃ》として成功《せいこう》し、死《し》ぬまで大好《だいす》きな研究《けんきゅう》を続《つづ》けました。きっと、とてもしあわせだったことでしょう。ダーウィンの親《おや》も、そんな子《こ》どものすがたを見《み》て、心《こころ》から満足《まんぞく》していたはずです。

ダーウィンは、じつはしっかり親《おや》の期待《きたい》にこたえていたのです。

ただし、ダーウィンのように好《す》きなことを仕事《しごと》にしてしあわせになるには、じつは、なみたいていの「好《す》き」では足《た》りません。

好《す》きな仕事《しごと》をして成功《せいこう》している人《ひと》は、

たいていまわりから、信《しん》じられないほど大変《たいへん》な思《おも》いをしているように見《み》られます。でも、本人《ほんにん》は、苦労《くろう》を苦労《くろう》とも思《おも》わず、当《あ》たり前《まえ》のように続《つづ》けている。それくらい大《おお》きな「好《す》き」があれば、ふつう「こうすればしあわせになれる」と思《おも》われているのとは別《べつ》の道《みち》で、しあわせにたどりつけるかもしれません。

デカすぎる失敗《しっぱい》

【人間《にんげん》の失敗《しっぱい》なんて、小《ちい》さい小《ちい》さい！】

恐竜《きょうりゅう》の失敗《しっぱい》

【体《からだ》がデカすぎてぜつめつ】

大《おお》昔《むかし》、きょだいないんせきが地球《ちきゅう》にぶつかりました。まきあげられたチリやホコリは空《そら》をおおい、太陽《たいよう》の光《ひかり》が当《あ》たらなくなった地球《ちきゅう》はどんどん気温《きおん》が下《さ》がりました。体《からだ》の小《ちい》さい動物《どうぶつ》は、葉《は》のうらや土《つち》の中《なか》にかくれたり、身《み》をよせ合《あ》うことで寒《さむ》さをしのぎましたが、体《からだ》の大《おお》きな恐竜《きょうりゅう》は、どこにもかくれることができません。また、寒《さむ》い地球《ちきゅう》では植物《しょくぶつ》もあまり育《そだ》たず、十分《じゅうぶん》に食《た》べることもできない。こうして、恐竜《きょうりゅう》はぜつめつしたと言《い》われています。大《おお》きな体《からだ》で、地球《ちきゅう》のしはい者《しゃ》となった恐竜《きょうりゅう》ですが、ぜつめつというまさかの大失敗《だいしっぱい》もまた、体《からだ》の大《おお》きさによって、まねいてしまったのです。

地球《ちきゅう》の失敗《しっぱい》

【自《みずか》ら天敵《てんてき》を生《う》み出《だ》した】

植《しょく》物《ぶつ》が草食動物《そうしょくどうぶつ》などに食《た》べられ、草《そう》食動物《しょくどうぶつ》が肉食動物《にくしょくどうぶつ》に食《た》べられ、肉《にく》食動物《しょくどうぶつ》が死《し》ぬと植物《しょくぶつ》のえいようになる。このような命《いのち》の流《なが》れを「食物連鎖《しょくもつれんさ》」と言《い》います。このしくみから、完全《かんぜん》にぬけ出《だ》した生《い》き物《もの》。それが、わたしたち人間《にんげん》です。昆虫《こんちゅう》にとっての鳥《とり》のような「天敵《てんてき》」がいない、食《た》べるばかりで食《た》べられることがない人間《にんげん》は、自然《しぜん》のしくみをくるわせるそんざいと言《い》えます。

それだけではなく、人間《にんげん》は、自分《じぶん》たちがくらしやすいように山《やま》をけずり、川《かわ》の形《かたち》を変《か》えます。工場《こうじょう》から出《で》るけむりは太陽《たいよう》をかくし、人《ひと》を殺《ころ》すために作《つく》った武器《ぶき》は、大地《だいち》も殺《ころ》しています。

このまま人間《にんげん》は、地球《ちきゅう》をこわし続《つづ》けるのでしょうか？　もし、そうなら、地球《ちきゅう》の最大《さいだい》の失敗《しっぱい》は、人間《にんげん》という天敵《てんてき》を生《う》み出《だ》してしまったことなのかもしれません。

宇宙《うちゅう》の失敗《しっぱい》

【だれにもりかいされない】

今《いま》のわたしたちの科学《かがく》で、宇宙《うちゅう》のことはどれくらいわかっていると思《おも》いますか?

なんと、おどろくべきことに、ほとんどわかっていないのです。

ただひとつ、わかっていることは、「宇宙《うちゅう》はとてつもなく広《ひろ》く、まだまだわたしたちの知《し》らないなぞにあふれている」ということ。

宇宙《うちゅう》の住人《じゅうにん》であるわたしたち地球人《ちきゅうじん》が、何《なん》十年《じゅうねん》、何百年《なんびゃくねん》と研究《けんきゅう》を重《かさ》ねても、まだまだりかいできない、宇宙《うちゅう》というそんざい。

それは、人《ひと》にとっては大《おお》きなロマンを感《かん》じさせるものであり、だからこそ、多《おお》くの人《ひと》が今《いま》でも宇宙《うちゅう》のなぞについて調《しら》べ続《つづ》けているのです。

でも、ぎゃくの立場《たちば》で考《かんが》えてみたら、どうでしょう。もし、宇宙《うちゅう》に人間《にんげん》のような心《こころ》があるとしたら?

広大《こうだい》な体《からだ》をもっているのに、だれにも自分《じぶん》のことをわかってもらえない……。これほど、さみしくてツラいことはありません。もしかしたら、宇宙《うちゅう》はどこかで、「だれか、自分《じぶん》のことをわかって!」としくしく泣《な》いているかもしれませんね。

それでも、やっぱり、とてつもなく広《ひろ》い宇《う》宙《ちゅう》……。もし、あなたが失敗《しっぱい》して落《お》ちこむことがあったら、宇宙《うちゅう》について考《かんが》えてみてください。宇宙《うちゅう》の大《おお》きさにくらべたら、自《じ》分《ぶん》のなやみなんてちっぽけなことだとわかり、少《すこ》し元気《げんき》になれるかもしれません。

失敗 VOL. 21 相《あい》手《て》をバカにする

【人物《じんぶつ》】ダグラス・マッカーサー（一八八〇－一九六四年《ねん》）
【出身地《しゅっしんち》】アメリカ【どんなことをした人《ひと》？】軍人《ぐんじん》

1

1945年《ねん》8月《がつ》15日《にち》。

この日《ひ》、ラジオから流《なが》れる声《こえ》に多《おお》くの人《ひと》が耳《みみ》をかたむけました。天皇《てんのう》陛下《へいか》から、戦争《せんそう》が終《お》わったこと、そして、日本《にほん》が負《ま》けたことが伝《つた》えられたのです。

日本《にほん》は戦争《せんそう》に負《ま》ける。国民《こくみん》だれもが、うすうす気《き》がついてはいましたが、この日《ひ》、それがげんじつとなりました。

そして、その年《とし》の8月《がつ》30日《にち》。パイプをくわえたひとりのアメリカ人《じん》が、日本《にほん》にやってきました。かれの名《な》は、ダグラス・マッカーサー。戦《せん》争《そう》に負《ま》けた日本《にほん》をしはいするためにやってきた軍人《ぐんじん》です。

「これから日本《にほん》は、どうなってしまうのか？」

「アメリカの一部《いちぶ》になるのか？」

「もしかしたら、戦争《せんそう》に勝《か》った国々《くにぐに》が日本《にほん》の土《と》地《ち》を分《わ》け合《あ》い、日本《にほん》はバラバラにされてしまうのではないか？」

国民《こくみん》がそんな不安《ふあん》をかかえる中《なか》、マッカーサーによるしはいが始《はじ》まりました。

でも、結局《けっきょく》、日本《にほん》は日本《にほん》のままでした。

マッカーサーは、憲法《けんぽう》を変《か》えたり、軍隊《ぐんたい》をつ

ぶしたり、農民《のうみん》に土地《とち》をあたえたり、国民《こくみん》ならだれでも政治家《せいじか》になる資格《しかく》をもつ国《くに》にするなど、国《くに》のしくみをいろいろと変《か》えましたが、これらはすべて、多《おお》くの国民《こくみん》にとって、ありがたいことでした。

マッカーサーのもとには、日本人《にほんじん》から50万通《まんつう》もの手紙《てがみ》がとどき、その中《なか》には、日本《にほん》を救《すく》ってくれたことへのかんしゃを伝《つた》える手紙《てがみ》もたくさんありました。マッカーサーは、この手紙《てがみ》をいつまでも大事《だいじ》にもっていたそうです。

こうして、マッカーサーは、戦後《せんご》の何《なに》もない日本《にほん》をよみがえらせてくれた「恩人《おんじん》」としてあつかわれ、まるでヒーローのような人気者《にんきもの》になったのです。

……でも、それも長《なが》くは続《つづ》きませんでした。

【アチャ〜〜〜】

【野望《やぼう》】
アメリカの大統領《だいとうりょう》になりたかったけど、なれなかった

【過去《かこ》】
戦争中《せんそうちゅう》、日本《にほん》にやられた苦《にが》い思《おも》い出《で》あり

【代表作《だいひょうさく》】
日本《にほん》に民主主義《みんしゅしゅぎ》をあたえた（他《ほか》の国《くに》でも同《おな》じことをしようとしたが、ほとんど失敗《しっぱい》している）

それは、マッカーサーが日本《にほん》での仕事《しごと》を終《お》え、アメリカに帰《かえ》ってからのこと。

アメリカの国会《こっかい》で、マッカーサーは、日本《にほん》と同《おな》じく戦争《せんそう》で負《ま》けたドイツについて聞《き》かれ、このように発言《はつげん》しました。

「ドイツ人《じん》は『大人《おとな》』です。われわれアメリカ人《じん》が、科学《かがく》、芸術《げいじゅつ》、宗教《しゅうきょう》、文化《ぶんか》において、45才《さい》に達《たっ》しているとするならば、ドイツも同《おな》じくらいでしょう。しかし、日本《にほん》は、歴史《れきし》こそ古《ふる》いものの、教《おし》えなければいけないことが多《おお》い国《くに》です。われわれが45才《さい》なら、日本人《にほんじん》は12才《さい》の子《こ》どものようなものだと言《い》えるでしょう」

この発言《はつげん》は、日本《にほん》にも伝《つた》えられ、国中《くにじゅう》の人《ひと》が大《おお》きなショックを受《う》けました。

「マッカーサーは、日本《にほん》を好《す》きだったわけじゃない。子《こ》どもみたいだと、バカにしていただけだったのだ！」

この発言《はつげん》が伝《つた》えられる直前《ちょくぜん》まで、「マッカーサー記念館《きねんかん》」を作《つく》る計画《けいかく》があったほど、日本人《にほんじん》から愛《あい》されていたのに、この失敗発言《しっぱいはつげん》で、マッカーサー人気《にんき》は一気《いっき》に冷《さ》めてしまったのです。

じつは、マッカーサーは、日本《にほん》を悪《わる》く言《い》うためにこの発言《はつげん》をしたのではなく、日本《にほん》を悪《わる》い国《くに》だと思《おも》うアメリカ人《じん》たちに対《たい》して、「子《こ》どもなんだからしかたない」と、日本《にほん》をかばうためにこの発言《はつげん》をしたという話《はなし》もあります。じっさい、マッカーサーはこの発言《はつげん》の後《あと》、明《あき》らかに日本《にほん》をかばう発言《はつげん》もしています。

真相《しんそう》はわかりませんが、悪気《わるぎ》はなかったのかもしれません。

でも、もう日本《にほん》でマッカーサーの人気《にんき》がもどることはありませんでした。

「日《に》本《ほん》の文《ぶん》化《か》は子《こ》どもレベル」と言《い》ってしまったマッカーサー。でも、この発言《はつげん》をしてしまった理由《りゆう》も、じつはある意味《いみ》においては、りかいできるのです。

ヨーロッパやアメリカの文化《ぶんか》を「西洋文化《せいようぶんか》」と言《い》います。日本《にほん》は明治時代《めいじじだい》になってから、西《せい》洋文化《ようぶんか》を取《と》り入《い》れるようになりました。つまり、マッカーサーがいた当時《とうじ》の日本《にほん》は、西洋文化《せいようぶんか》を取《と》り入《い》れ始《はじ》めてから、まだ百年《ひゃくねん》もたっていないころ。西洋文化《せいようぶんか》にまだなじめずにいる日《に》本《ほん》を、西洋文化《せいようぶんか》の国《くに》から来《き》た人《ひと》が「子《こ》どものようだ」と感《かん》じても、しかたのないことだったかもしれません。

ただし、これは「日本《にほん》の中《なか》の西洋文化《せいようぶんか》」だけを見《み》たときの話《はなし》。日本《にほん》には、日本《にほん》の文化《ぶんか》があります。こちらは2000年《ねん》以上《いじょう》の歴史《れきし》があり、日本人一人《にほんじんひとり》ひとりの心《こころ》や生活《せいかつ》と結《むす》び付《つ》いています。ですから、マッカーサーの考《かんが》えにのっとれば、国《くに》ができてから200年《ねん》もたっていないアメリカの文化《ぶんか》は、ぎゃくに「子《こ》どものようなもの」とも言《い》えるのです。

どんな国《くに》にも、その国《くに》だけがもつ大切《たいせつ》な文化《ぶんか》がある。そのことに気《き》づけなかったマッカーサーは、日本人《にほんじん》からの信用《しんよう》を失《うしな》い、ヒーローではなくなりました。とはいえ、マッカーサー自身《じしん》は、その後《ご》、ほとんどの人生《じんせい》をアメリカですごしたので、この失敗《しっぱい》をそこまで気《き》にすることはなかったでしょう。

ただ、戦争《せんそう》が終《お》わり、70年以上《ねんいじょう》がすぎた今《いま》、この失《しっ》敗《ぱい》から学《まな》べる大切《たいせつ》なことがあります。

今《いま》や、だれでもかんたんに外国《がいこく》に行《い》ける時代《じだい》です。みんなにも、外国人《がいこくじん》の友《とも》だちがいるかもしれません。今《いま》はいなくても、これからきっとできるでしょう。

そんな外国人《がいこくじん》の友《とも》だちとの付《つ》き合《あ》いで、ひとつ心《こころ》がけてほしいことがあります。それは、相《あい》手《て》の国《くに》の文化《ぶんか》をりかいし、そんけいする気持《きも》ちをもつということです。

マッカーサーは、どうして日本人《にほんじん》からきらわれてしまったのか。それは、相手《あいて》の国《くに》の文化《ぶんか》をバカにしたからです。

文化《ぶんか》をバカにするというのは、その国《くに》をバカにすることと同《おな》じです。

自分《じぶん》の国《くに》を愛《あい》する心《こころ》を「愛国心《あいこくしん》」と言《い》いますが、だれもが、少《すく》なからず愛国心《あいこくしん》をもっています。自分《じぶん》の愛《あい》するものをバカにされて、イヤな気持《きも》ちにならない人《ひと》は、まずいません。

だから、みんなはマッカーサーと同《おな》じ失敗《しっぱい》をしないよう、日《ひ》ごろからいろいろな国《くに》の文化《ぶんか》に対《たい》して、そんけいする気持《きも》ちを忘《わす》れないようにしましょう。「どちらがすごいか」「何《なに》が正《ただ》しいか」ではなく、すべての文化《ぶんか》には、その文化《ぶんか》だけがもつ美《うつく》しさ、すばらしさがあります。それを知《し》ることは、自分《じぶん》の人生《じんせい》をより楽《たの》しく、豊《ゆた》かにしていくことでもあるのです。

失敗 VOL. 22 ナメられる

【人物《じんぶつ》】ウォルト・ディズニー（一九〇一－一九六六年《ねん》）
【出身地《しゅっしんち》】アメリカ合衆国《がっしゅうこく》【どんなことをした人《ひと》？】アニメーター、映画監督《えいがかんとく》

やあ、ぼくは世界一有名《せかいいちゆうめい》なネズミ。ほら、黒《くろ》くて大《おお》きな耳《みみ》をした、あのネズミさ。わけあって、すがたを見《み》せることはできないけど、もしかしたら、みんなも、ぼくに会《あ》ったことがあるんじゃない？

さて、ぼくを生《う》み出《だ》し、世界一有名《せかいいちゆうめい》なネズミへと育《そだ》ててくれたのが、ウォルト・ディズニーという人《ひと》なんだ。ぼくが生《う》まれたのは、1928年《ねん》、ディズニーが26才《さい》のころ。この時《とき》ぼくは、世界初《せかいはつ》の「音《おと》が出《で》るアニメ」として、大《おお》いに世間《せけん》をさわがしたんだ。

え？　アニメに音《おと》があるのは当《あ》たり前《まえ》だって？　ちがうんだなあ。昔《むかし》の映画《えいが》には、音《おと》がなかったんだ。あったとしても、映像《えいぞう》に合《あ》わせてレコードを流《なが》すくらい。でも、ぼくは音《おと》のデータが映画《えいが》のフィルムに入《はい》った、最初《さいしょ》のアニメ作品《さくひん》だったんだ。これってけっこう、すごいことなんだよ。

そのせいで、ディズニーは、ぼくを作《つく》るためにとっても苦労《くろう》した。音《おと》の出《で》るフィルムが作《つく》れるマシンにも、たくさんお金《かね》がかかったしね。だから、ぼくの映画《えいが》は大《だい》ヒットしたもの

の、ディズニーはちっともお金《かね》がもうからなかったらしいんだ。

でも、ディズニーはこう思《おも》った。

「良《よ》い作品《さくひん》さえ作《つく》っていれば、どうにかなる」

だから、ディズニーはその後《あと》も良《よ》い作品《さくひん》を作《つく》るために、努力《どりょく》を続《つづ》けたんだ。

1932年《ねん》には、『花《はな》と木《き》』という色《いろ》のついたアニメを、世界《せかい》に先《さき》がけて発表《はっぴょう》した。1937年《ねん》に作《つく》った『白雪姫《しらゆきひめ》』は、1時間《じかん》30分《ぷん》くらいの長《なが》さなんだけど、じつは、こんなに長《なが》いアニメって、それまでなかったんだ。

だって、アニメは1秒間《びょうかん》に最低《さいてい》でも24まいの絵《え》が必要《ひつよう》だからね。1分《ぷん》で1440まい。10分《ぷん》でも1万《まん》4400まい。それを1まいずつ、かかないといけないんだから、考《かんが》えただけでも気《き》が遠《とお》くなりそうだよね。

でも、ディズニーは、自分《じぶん》の会社《かいしゃ》のスタッフたちをやる気《き》にさせ、本気《ほんき》にさせ、お金《かね》をかけて『白雪姫《しらゆきひめ》』を作《つく》り上《あ》げたんだ。もちろん、大《だい》ヒットしたよ！

良《よ》い物《もの》を作《つく》るには、時間《じかん》とお金《かね》がかかる。日《に》本《ほん》のクロサワって映画監督《えいがかんとく》（→130ページ）もお金《かね》で苦労《くろう》していたみたいだけど、ディズニーも同《おな》じさ。

でも、ディズニーの場合《ばあい》、じつは、もっとひどい目《め》にあっているんだ。

それは、ぼくが生《う》まれる少《すこ》し前《まえ》のこと……。

【アチャ〜〜】

【代表作《だいひょうさく》】
『蒸気船《じょうきせん》ウィリー』『ふしぎの国《くに》のアリス』ディズニーランド

【小学校時代《しょうがっこうじだい》】
学校《がっこう》に通《かよ》いながら、朝《あさ》と夕《ゆう》は新聞配達《しんぶんはいたつ》のアルバイト、昼休《ひるやす》みには別《べつ》の仕事《しごと》もしていた

【子《こ》ども】
子《こ》どもたちのしつけには、けっこうきびしかった

【仕事《しごと》】
若《わか》いころ、新聞社《しんぶんしゃ》でマンガをかいていたが、「想像力《そうぞうりょく》がない」とクビになったことがある

じつは、あの耳《みみ》の大《おお》きな黒《くろ》いネズミを作《つく》る前《まえ》に、ディズニーは、別《べつ》の大人《だいにん》気《き》キャラクターを生《う》み出《だ》していました。1927年《ねん》に作《つく》られた『しあわせウサギのオズワルド』というアニメに登場《とうじょう》する、ウサギのキャラクターです。

当時《とうじ》の映画《えいが》は、まずディズニーの会社《かいしゃ》のような「製作会社《せいさくがいしゃ》」が作《つく》り、できあがった作品《さくひん》を「配給会社《はいきゅうがいしゃ》」に売《う》ります。そして、配給会社《はいきゅうがいしゃ》がそれをたくさんの映画館《えいがかん》に配《くば》ることで、みんなが見《み》ることができるようになります。

ディズニーの失敗《しっぱい》は、『オズワルド』を配給《はいきゅう》会社《がいしゃ》に買《か》ってもらうとき、両者《りょうしゃ》が交《か》わした約《やく》束《そく》「契約《けいやく》」が元《もと》になって、起《お》こりました。

「このアニメのけんりは、登場《とうじょう》するキャラクターなどもふくめ、すべて配給会社《はいきゅうがいしゃ》にある」

この契約《けいやく》のため、ディズニーは、オズワルドのグッズを作《つく》ることも、オズワルドを使《つか》ったアニメを他《ほか》の配給会社《はいきゅうがいしゃ》に売《う》ることもできなくなりました。自分《じぶん》で作《つく》ったキャラクターなのに……です。

ディズニーは、配給会社《はいきゅうがいしゃ》に「せめて、次回《じかい》作《さく》はもっと高《たか》いお金《かね》で買《か》ってほしい」とお願《ねが》いしました。しかし、配給会社《はいきゅうがいしゃ》はその願《ねが》いを聞《き》き入《い》れないどころか、さらに安《やす》いお金《かね》で作品《さくひん》を買《か》おうとしたのです。

どうして、こんなことになってしまったのか。『オズワルド』を作《つく》ったとき、ディズニーはまだ25才《さい》でした。お金《かね》もなかったディズニーは、配給会社《はいきゅうがいしゃ》から完全《かんぜん》にナメられていました。そのため、配給会社《はいきゅうがいしゃ》だけに都合《つごう》のいい契約《けいやく》を、結《むす》ばされてしまったのです。

やあ、ひさしぶり。ぼくだよ。

ディズニーは、このツライできごとの後《あと》、いっしょに会社《かいしゃ》をやっていたお兄《にい》さんに、こう言《い》った。

「最後《さいご》は、ぼくたちが笑《わら》うことになる」

そして、この配給会社《はいきゅうがいしゃ》とすっぱり縁《えん》を切《き》り、新《あたら》しいキャラクターを使《つか》ったアニメを作《つく》って、新《あたら》しい配給会社《はいきゅうがいしゃ》と契約《けいやく》を結《むす》んだ。もちろん、このとき「これから作《つく》る映画《えいが》のけんりは、すべてディズニーがもつ」という約束《やくそく》もしたよ。

こうして生《う》まれたのが、ぼくなんだ。

ぼくがすがたを見《み》せられない理由《りゆう》も、わかってくれたかな? ぼくのけんりは、ディズニーがしっかり守《まも》っているから、ぼくがいろいろな場《ば》所《しょ》で勝手《かって》にすがたを見《み》せることはできないのさ。

さて、その後《あと》もディズニーは、良《よ》い映画《えいが》を作《つく》り続《つづ》けながら、少《すこ》しずつお金《かね》をためて、１９５３年《ねん》、ついに自分《じぶん》たちで配給会社《はいきゅうがいしゃ》を作《つく》った。
ここからは、もう、すごかったよ!
お金《かね》がたくさん入《はい》るようになったディズニーは、１９５５年《ねん》、ずっとあたためていた大《おお》きな夢《ゆめ》をかなえた。その夢《ゆめ》は、大人《おとな》も子《こ》どもも楽《たの》しめる、大《おお》きな大《おお》きな遊園地《ゆうえんち》を作《つく》ること。わかるだろ? 「ディズニーランド」だよ! もちろん、ぼくもここでかつやくしているのは、みんなも知《し》っているよね。このときからぼくたちは、スクリーンを飛《と》び出《だ》して、会《あ》いにいけるキャラクターになったんだ。

仕事《しごと》というのは、かんたんじゃない。イヤなことも多《おお》い。そして、最初《さいしょ》はだれでも、ナメられる。ときには、ディズニーのように手《て》がらを取《と》られてしまうことだってあるかもしれない。でも、そんなとき「また、やってやる！」という気持《きも》ちでがんばり続《つづ》けることが大切《たいせつ》なんだ。ディズニーだって、ウサギを取《と》り上《あ》げられたからこそ、ぼくを作《つく》ることができたんだ。

結局《けっきょく》、どんな仕事《しごと》でも、人《ひと》の心《こころ》をつかんだ人《ひと》が最《さい》後《ご》に勝《か》つ。

ディズニーは、ずっと見《み》る人《ひと》を楽《たの》しませることだけを考《かんが》えて、映画《えいが》を作《つく》り続《つづ》けた。どんなにお金《かね》がなくても、失敗《しっぱい》をしても、作品《さくひん》に手《て》をぬくことなんてしなかった。

ディズニーが、どれくらい人《ひと》を楽《たの》しませているかを知《し》るのはかんたんさ。ぼくに会《あ》いに来《く》ればいい。そして、そこに来《き》ている人《ひと》たちの笑顔《えがお》を見《み》ればいい。その笑顔《えがお》こそ、ディズニーが何《なに》よりも大事《だいじ》にしていたもの、一生《いっしょう》をかけて手《て》に入《い》れた宝物《たからもの》だからね。

失敗 VOL. 23 いろいろ

【人物《じんぶつ》】カーネル・サンダース（一八九〇－一九八〇年《ねん》）

【出身地《しゅっしんち》】アメリカ【どんなことをした人《ひと》？】「ケンタッキーフライドチキン」を作《つく》った

カーネル・サンダース。本名《ほんみょう》、ハーランド・デーヴィッド・サンダース。だれもが知《し》っている人物《じんぶつ》です。え、知《し》らない？　いやいや、名前《なまえ》は知《し》らなくても、このすがたを見《み》たことはあるはずです。

そう、お店《みせ》の前《まえ》でやさしいほほえみをうかべながら立《た》つこの人《ひと》こそ、世界中《せかいじゅう》にお店《みせ》をもつ「ケンタッキーフライドチキン」を作《つく》った人《ひと》、カーネル・サンダースなのです。

カーネルがケンタッキーフライドチキンを作《つく》ったのは、65才《さい》のとき。世界中《せかいじゅう》で大人気《だいにんき》のお店《みせ》を作《つく》り上《あ》げたのだから、それまでも、さぞかしすごい人生《じんせい》を歩《あゆ》んできたのだろうと思《おも》うかもしれません。でも、これがなかなか「アチャ～」続《つづ》きの人生《じんせい》だったわけです……。

【アチャ〜〜】

初《はじ》めて働《はたら》いたのは10才《さい》のとき。「家族《かぞく》を助《たす》けたい」というりっぱな理由《りゆう》からでした。あたえられた仕事《しごと》は、木《き》を切《き》りたおす手伝《てつだ》い。でも、まだまだ子《こ》どものカーネル少年《しょうねん》は、仕事《しごと》のとちゅうで動物《どうぶつ》を見《み》つけては、おいかけたりしていたため、わずか1か月《げつ》でクビになってしまいました。カーネルはひどく落《お》ちこみ、「次《つぎ》はまじめに働《はたら》こう!」と強《つよ》くちかったのでした。

【アチャ〜〜】

それからは、本当《ほんとう》にまじめに働《はたら》き、学校《がっこう》にも通《かよ》いました。ちなみに、子《こ》どもが働《はたら》くことは、カーネルが生《い》きていた時代《じだい》はめずらしいことではありませんでした。仕事《しごと》はまじめにこなしていたカーネル少年《しょうねん》でしたが、学校《がっこう》の勉強《べんきょう》は、先生《せんせい》の教《おし》え方《かた》が悪《わる》かったせいか、なっとくのいかないことが多《おお》く、13才《さい》で学校《がっこう》に行《い》くのをやめてしまいました。

【アチャ〜〜】

その後《ご》、いろいろと仕事《しごと》を変《か》えた後《あと》、16才《さい》で鉄道会社《てつどうがいしゃ》に入《はい》ったカーネル。何事《なにごと》もがんばりぬく性格《せいかく》から、どんどん仕事《しごと》をおぼえて出世《しゅっせ》します。しかし、正義感《せいぎかん》が強《つよ》いカーネルは、仲間《なかま》の社員《しゃいん》が鉄道《てつどう》のじこでケガをしたのに、お金《かね》をはらわない会社《かいしゃ》に反発《はんぱつ》。お金《かね》を出《だ》させることに成功《せいこう》しますが、そのせいで会社《かいしゃ》のえらい人《ひと》たちにきらわれ、会社《かいしゃ》を追《お》い出《だ》されてしまいます。

【アチャ〜〜】

じつは、法律《ほうりつ》を勉強《べんきょう》していたカーネル。22才《さい》で弁護士《べんごし》のじむ所《しょ》で働《はたら》きますが、ある裁判《さいばん》で弁護《べんご》する人《ひと》ともめて、なぐられてしまったのです。やられたら、やり返《かえ》す！　それがカーネル。イスを持《も》ち上《あ》げ、相手《あいて》に投《な》げようとします。しかし、この行動《こうどう》は止《と》められ、「法律《ほうりつ》で戦《たたか》う弁護士《べんごし》がぼうりょくをふるおうとした」ことが問題《もんだい》とされ、弁護士《べんごし》の道《みち》は閉《と》ざされてしまいました。

【アチャ〜〜】

26才《さい》から、物《もの》を売《う》り歩《ある》くセールスマンを始《はじ》めます。じつは、カーネルには天才的《てんさいてき》なセールスの才能《さいのう》があり、いちやくトップセールスマンになりました。そして、31才《さい》のとき、自分《じぶん》のお金《かね》をすべてつぎこんで、新《あたら》しいライトを売《う》る会社《かいしゃ》を作《つく》ります。しかし、さらに新《あたら》しいライトが発《はつ》明《めい》されたことで会社《かいしゃ》はあっけなくつぶれ、カーネルは34才《さい》で無一文《むいちもん》になってしまったのです!

【アチャ〜〜】

お金《かね》がなくなり、ふたたびセールスマンになりましたが、なんと自動車《じどうしゃ》のじこで大《おお》ケガをして半年《はんとし》以《い》上《じょう》休《やす》むことに。ケガが治《なお》り、仕事《しごと》をさがしていると、こんな声《こえ》がかかります。

「君《きみ》、ガソリンスタンドの仕事《しごと》やってみない?」

こうして、37才《さい》でガソリンスタンドの店長《てんちょう》になったカーネルは、心《こころ》のこもったサービスで、売《う》り上《あ》げをどんどんのばしました。でも……?

【アチャ〜〜】

今度《こんど》は、カーネルを不景気《ふけいき》の波《なみ》がおそいます。不景気《ふけいき》になると、みんなお金《かね》をあまりかせげなくなります。それでも、カーネルはその正義感《せいぎかん》の強《つよ》さからか、お金《かね》のない人《ひと》に「お金《かね》は後《あと》でいいから」とガソリンをわたしたのです。しかし、不景気《ふけいき》は続《つづ》き、後《あと》でもらえるはずのガソリン代《だい》がもらえない……。カーネルはふたたび、仕事《しごと》を失《うしな》ってしまいました。

【アチャ〜?】

でも、すぐに「また、ガソリンスタンドをしないか?」という話《はなし》がまいこんできて、ふたたびケンタッキー州《しゅう》でガソリンスタンドを始《はじ》めます。このスタンドは、大《おお》きな通《とお》りにあり、車《くるま》がどんどんやってきて、お客《きゃく》もカーネルのサービスに大満足《だいまんぞく》! でも、お客《きゃく》にはひとつだけ不満《ふまん》がありました。それは、近《ちか》くにおいしいお店《みせ》がないこと。そこで、カーネルはひらめきます!

【ヤッター！】

カーネルは、ガソリンスタンドに食事《しょくじ》ができる場所《ばしょ》を作《つく》り、自分《じぶん》の料理《りょうり》を出《だ》したところ、大人気《だいにんき》に！　じつは、料理《りょうり》も得意《とくい》だったのです。とくに人気《にんき》だったのがフライドチキン。そのおいしさに、人《ひと》がどんどん集《あつ》まりました。さらに、ガソリンスタンドをふやし、近《ちか》くにホテルも作《つく》ると、どれも大人気《だいにんき》に。カーネルはやっと「アチャー」な人生《じんせい》からぬけ出《だ》したのです。

【アチャ〜〜】

しかし、１９５６年《ねん》。カーネル65才《さい》のときに、すべてつぶれてしまいます。近《ちか》くに高速道路《こうそくどうろ》ができ、みんながそちらを通《とお》るようになったため、カーネルのガソリンスタンドに行《い》く理由《りゆう》がなくなってしまったのです。こうして、またまたすべてを失《うしな》ったカーネル。残《のこ》されたのは、フライドチキンの作《つく》り方《かた》だけ。でも、ここから、カーネルの本当《ほんとう》のかつやくが始《はじ》まるのです！

カーネルは、考《かんが》えました。

「他《ほか》のお店《みせ》にも、このフライドチキンをおいてもらって、売《う》れた分《ぶん》だけお金《かね》をもらおう」

じつは、ガソリンスタンドがつぶれる4年前《ねんまえ》に、あるレストランでためしにフライドチキンを売《う》ってもらったところ、大人気《だいにんき》になったことがあったのです。かつてガソリンスタンドがあった場所《ばしょ》から、「ケンタッキーフライドチキン」と名付《なづ》け、65才《さい》のカーネルは、車《くるま》にフライドチキンを作《つく》るために必要《ひつよう》な道具《どうぐ》を積《つ》んで、広《ひろ》いアメリカを飛《と》び回《まわ》ります。お金《かね》がないので、夜《よる》は車《くるま》の中《なか》でねむります。

最初《さいしょ》はうまくいきませんでした。１５００回《かい》もことわられたという話《はなし》もあります。でも、中《なか》にはこころよくフライドチキンをおいてくれるお店《みせ》もあり、そのお店《みせ》には、フライドチキン目《め》当《あ》てのお客《きゃく》がどんどん入《はい》るようになったのです。

こうなると、商売《しょうばい》の風向《かざむ》きも変《か》わります。カーネルがフライドチキンを売《う》り歩《ある》き始《はじ》めてから2年後《ねんご》、カーネルの電話《でんわ》は、鳴《な》りっぱなしになりました。

「うちにもケンタッキーフライドチキンを！」

こうして、カーネルのフライドチキンは、アメリカ中《じゅう》に広《ひろ》まり、やがて世界各国《せかいかっこく》へ。日本《にほん》でも多《おお》くのお店《みせ》を出《だ》すようになったのです。

カーネル・サンダースの人生《じんせい》。それは、だれよりも上《あ》がり下《さ》がりのはげしい人生《じんせい》でした。これは、人生《じんせい》はいつからでもやり直《なお》せる、人《ひと》は何《なん》度《ど》でも立《た》ち直《なお》れるということを、わたしたちに教《おし》えてくれます。

もちろん、かんたんなことではありません。

「これだけはできる」という自分《じぶん》ならではの武《ぶ》器《き》も必要《ひつよう》です。カーネルの武器《ぶき》は「売《う》りこむこと」でした。でも、この武器《ぶき》も、最初《さいしょ》からもっていたわけではありません。何度《なんど》も失敗《しっぱい》して、初《はじ》めて身《み》につけたものです。

何《なん》でも、しんけんに、やってみる。一見《いっけん》バカみたいなことでも、しんけんにバカをしてみる。そうすると、何《なに》かしら身《み》につくものです。

そして、いろいろなものを身《み》につけて強《つよ》くなった自分《じぶん》こそ、失敗《しっぱい》から立《た》ち直《なお》らせてくれる最《さい》大《だい》の武器《ぶき》。そして、そんな強《つよ》い自分《じぶん》を作《つく》れるのは、今《いま》の自分《じぶん》だけです。

カーネルのように、どんなことでも笑《わら》って、楽《たの》しく、しんけんに。そうすれば、みんなもきっと、どんな失敗《しっぱい》でも乗《の》りこえられる自分《じぶん》を作《つく》ることができます。

失敗 Vol. 24 愛《あい》しすぎる

【人物《じんぶつ》】お父《とう》さん・お母《かあ》さん
【出身地《しゅっしんち》】いろいろ
【どんなことをした人《ひと》？】みんなをこの世《よ》に生《う》み出《だ》し、育《そだ》てている

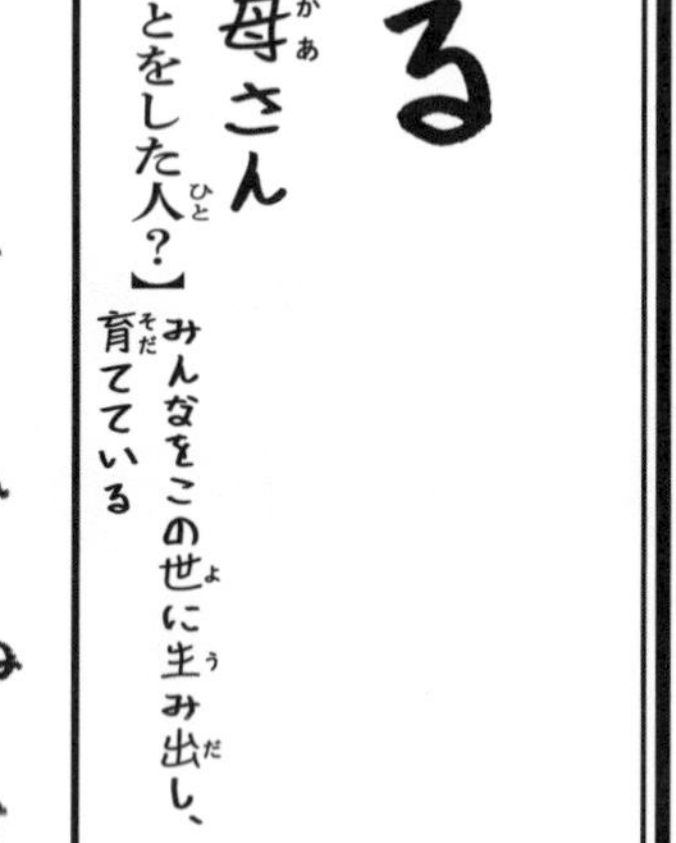

さて、最後《さいご》にしょうかいする偉人《いじん》は、みんなのお父《とう》さん、お母《かあ》さんです。
「え？　お父《とう》さんやお母《かあ》さんも偉人《いじん》なの？」なんて思《おも》う人《ひと》もいるかもしれませんが、お父《とう》さんお母《かあ》さんは、みんなを産《う》み、ここまで元気《げんき》に育《そだ》てたというだけで、それはもうりっぱな偉人《いじん》なのです。
「でも、子《こ》どもが生《う》まれたら、育《そだ》てるのは当《あ》たり前《まえ》でしょ？」
もし、そんなことを思《おも》っているとしたら、大《おお》まちがいです。「だれもがやっているから当《あ》た

り前《まえ》」などという考《かんが》えは、今《いま》すぐにすてましょう。

生《う》まれたばかりの赤《あか》ちゃんを、今《いま》のみんなと同《おな》じくらいまでに育《そだ》てることが、どれほど大変《たいへん》なことか……。その苦労《くろう》を、このページの絵《え》で少《すこ》しだけ見《み》てみましょう。

子《こ》どもは、はじめから人間《にんげん》らしい生活《せいかつ》ができるわけではありません。お父《とう》さんやお母《かあ》さんの苦労《くろう》があって、人《ひと》は初《はじ》めて、人《ひと》になれるのです。
でも、だからこそ、お父《とう》さんやお母《かあ》さんは、いつでもかんぺきにみんなを育《そだ》てることができるわけではありません。ほら、ときにはこんな失敗《しっぱい》をすることだって、あるのです。

【アチャ〜〜】

いいかげんにしなさい！
うあ〜んごめんなさ〜い…
あんたなんかもうしらないっ！
おれは、なんてダメな父親《ちちおや》なんだ
スースー
もっとやさしくしてあげたいのに……

お父《とう》さんとお母《かあ》さんは、みんなのことを愛《あい》しています。しかし、その愛《あい》ゆえに、ときに自分《じぶん》を見失《みうしな》ってしまうこともあります。

たとえば、この絵《え》にあるように、おこりすぎてしまうこと。みんなも、お父《とう》さんやお母《かあ》さんから、こんなふうにキツくおこられたことがあると思《おも》います。あんまり強《つよ》く言《い》われると、「きっと、ぼくのことがきらいなんだ」「わたしなんて、いないほうがいいんだ」と思《おも》い、悲《かな》しくなることもあるでしょう。

でも、お父《とう》さんとお母《かあ》さんは、みんなのことを愛《あい》している。愛《あい》しているのに、どうしてそんなにおこるのでしょう？　その理由《りゆう》はかんたん。心配《しんぱい》だからです。みんなのしょうらいを心配《しんぱい》に思《おも》うあまり、おこってしまうのです。

大人《おとな》は、子《こ》どもより、たくさんのことをけいけんしている分《ぶん》だけ、いろいろなことを知《し》っています。だから、勉強《べんきょう》しない、かたづけをしない、もんくばかり言《い》う。こういう子《こ》が大人《おとな》になったとき、苦労《くろう》することがわかっているから、ついついおこってしまうのです。

そして、自分《じぶん》は子《こ》どものためを思《おも》って言《い》っているのに、なかなか言《い》うことを聞《き》いてくれないことでついイライラしてしまい、キツい言《い》い方《かた》になってしまうのです。

でも、みんなは知《し》らないと思《おも》いますが、おこった後《あと》、お父《とう》さんとお母《かあ》さんは、反省《はんせい》しているものです。「ちょっと言《い》いすぎた……」「自分《じぶん》だって、子《こ》どものころはできなかったのに」などと考《かんが》えては、暗《くら》い気持《きも》ちになる……。

そんな夜《よる》をすごすこともあるのです。

おこられれば、みんなもツライ。そして、お父《とう》さんやお母《かあ》さんもツライ。それなら、やめればいいのに、やめられない……。

ダメだとわかっていても、ついついやってしまうのが人間《にんげん》です。これまでたくさんの偉人《いじん》の失敗《しっぱい》を見《み》てきたみんななら、そのこともきっとわかってくれるはずです。人《ひと》は、失敗《しっぱい》をくりかえします。何度《なんど》も同《おな》じ失敗《しっぱい》をしてしまう偉人《いじん》もいましたよね。人《ひと》はかんぺきではありません。

でも、だからいいのです。

自分《じぶん》も失敗《しっぱい》するし、友《とも》だちも失敗《しっぱい》するし、お父《とう》さんやお母《かあ》さんも失敗《しっぱい》する。だから、お父《とう》さんやお母《かあ》さんの「おこりすぎる失敗《しっぱい》」は、これからも続《つづ》くと、かくごしておいてください。でも、だれだって、朝《あさ》からばんまでおこっている

わけではありません。

　大事《だいじ》なのは、笑《わら》い合《あ》っている時間《じかん》。楽《たの》しくごはんを食《た》べたり、いっしょにテレビを見《み》たり、今日《きょう》あったできごとについて話《はな》したりする時間《じかん》。おふろに入《はい》ったり、いっしょに出《で》かけたり、公園《こうえん》で遊《あそ》んだりしている時間《じかん》。

　そういう楽《たの》しい時間《じかん》もあるのですから、おこられたときの悲《かな》しみは、心《こころ》の中《なか》にしまっておきましょう。

　おたがいの失敗《しっぱい》をゆるしながら、楽《たの》しい時間《じかん》をすごし、おたがいに成長《せいちょう》していく。それが家族《かぞく》です。これは、友《とも》だち同士《どうし》でも同《おな》じです。

　でも、人《ひと》がしんけんにおこるということは、そこに大事《だいじ》なことがふくまれていることも多《おお》いので、おこっているお父《とう》さんお母《かあ》さんの言葉《ことば》も、少《すこ》しは気《き》にかけてくださいね。

参《さん》考《こう》文《ぶん》献《けん》

『退屈《たいくつ》な日常《にちじょう》を変《か》える偉人《いじん》教室《きょうしつ》』五百田達成《いおたたつなり》／文響社《ぶんきょうしゃ》
『偉人《いじん》たちの意外《いがい》な「泣《な》き言《ごと》」』造事務所編《ぞうじむしょへん》／PHP研究所《けんきゅうじょ》
『トンデモ偉人伝《いじんでん》 天才編《てんさいへん》』山口智司《やまぐちさとし》／彩図社《さいずしゃ》
『失敗《しっぱい》の教科書《きょうかしょ》。』宮下裕介《みやしたゆうすけ》／扶桑社《ふそうしゃ》
『ノーベル 人類《じんるい》に進歩《しんぽ》と平和《へいわ》を』大野進《おおのすすむ》／講談社《こうだんしゃ》
『孔子伝《こうしでん》』白川静《しらかわしずか》／中央公論新社《ちゅうおうこうろんしんしゃ》
『孔子《こうし》』井上靖《いのうえやすし》／新潮社《しんちょうしゃ》
『現代訳《げんだいやく》 論語《ろんご》』下村湖人《しもむらこじん》／青空文庫《あおぞらぶんこ》
『エライ人《ひと》にはウソがある 論語《ろんご》好《ず》きの孔子《こうし》知《し》らず』
パオロ・マッツァリーノ／さくら舎《しゃ》
『スティーブ・ジョブズの生《い》き方《かた》』カレン・ブルーメンタール／あすなろ書房《しょぼう》
『スティーブ・ジョブズ1』『スティーブ・ジョブズ2』
ウォルター・アイザックソン／講談社《こうだんしゃ》
『カラマーゾフの兄弟《きょうだい》〔上《じょう》・中《ちゅう》・下《げ》〕』ドストエフスキー／新潮社《しんちょうしゃ》
『ライト兄弟《きょうだい》 大空《おおぞら》への夢《ゆめ》を実現《じつげん》した兄弟《きょうだい》の物語《ものがたり》』富塚清《とみつかきよし》／三樹書房《みきしょぼう》
『ライト兄弟《きょうだい》とカーチス物語《ものがたり》 ツエッペリン伯爵物語《はくしゃくものがたり》（先駆者達《せんくしゃたち》の光《ひかり》と影《かげ》
大型硬式飛行船《おおがたこうしきひこうせん》に賭《か》けた半生《はんせい》）』たなかてつお Amazon Services International, Inc.
『ファッションデザイナー ココ・シャネル』実川元子《じつかわもとこ》／理論社《りろんしゃ》
『この人《ひと》を見《み》よ！ 歴史《れきし》をつくった人《ひと》びと伝《でん》（全《ぜん》20巻《かん》）』ポプラ社《しゃ》
『事典《じてん》にのらない日本史有名人《にほんしゆうめいじん》の苦節時代《くせつじだい》』新人物往来社《しんじんぶつおうらいしゃ》
『週刊《しゅうかん》１００人《にん》 No.027ジークムント・フロイト』デアゴスティーニ・ジャパン
『ピカソは本当《ほんとう》に偉《えら》いのか』西岡文彦《にしおかふみひこ》／新潮社《しんちょうしゃ》
『ピカソ 型破《かたやぶ》りの天才画家《てんさいがか》』岡田好恵《おかだよしえ》／講談社《こうだんしゃ》
『教養《きょうよう》として知《し》っておきたい二宮尊徳《にのみやそんとく》』松沢成文《まつざわしげふみ》／PHP研究所《けんきゅうじょ》
『実《じつ》はこんなにすごい再建《さいけん》の神様《かみさま》 二宮金次郎《にのみやきんじろう》の言葉《ことば》と仕事《しごと》』
長澤源夫《ながさわみなお》／実業之日本社《じつぎょうのにほんしゃ》
『ミッキーマウスはなぜ消《け》されたか』安藤健二《あんどうけんじ》／河出書房新社《かわでしょぼうしんしゃ》
『ウォルト・ディズニー 想像《そうぞう》と冒険《ぼうけん》の生涯《しょうがい》 完全復刻版《かんぜんふっこくばん》』
ボブ・トマス／講談社《こうだんしゃ》
『カーネル・サンダースの教《おし》え 人生《じんせい》は何度《なんど》でも勝負《しょうぶ》できる！』
中野明《なかのあきら》／朝日新聞出版《あさひしんぶんしゅっぱん》
『フロイトとユング』小此木圭吾《おこのぎけいご》、河合隼雄《かわいはやお》／講談社《こうだんしゃ》
『チャールズ・ダーウィンの生涯《しょうがい》 進化論《しんかろん》を生《う》んだジェントルマンの社《しゃ》
会《かい》』松永俊男《まつながとしお》／朝日新聞出版《あさひしんぶんしゅっぱん》
『オードリー・ヘップバーンという生《い》き方《かた》』山口路子《やまぐちみちこ》／ＫＡＤＯＫＡＷＡ
『回想《かいそう》 黒澤明《くろさわあきら》』黒澤和子《くろさわかずこ》／中央公論新社《ちゅうおうこうろんしんしゃ》
『精神分析入門《せいしんぶんせきにゅうもん》 夢判断《ゆめはんだん》』フロイト／イースト・プレス
『史上最強《しじょうさいきょう》の哲学入門《てつがくにゅうもん》』飲茶《やむちゃ》／河出書房新社《かわでしょぼうしんしゃ》
『アインシュタイン』寺田寅彦《てらだとらひこ》／青空文庫《あおぞらぶんこ》
『ベートーヴェンの生涯《しょうがい》』ロマン・ロラン／岩波書店《いわなみしょてん》

あとがき

この本《ほん》を読《よ》んでくれたみんなが、
これからすばらしい失敗人生《しっぱいじんせい》を送《おく》ってくれることを、
わしは望《のぞ》んでおるぞ。
そうそう、この本《ほん》だけじゃなく、
本《ほん》はなるべくたくさん読《よ》むといいぞ。
とくに、偉人《いじん》の人生《じんせい》が書《か》かれた本《ほん》は、
おもしろくて読《よ》みやすいので、おすすめじゃ。
本《ほん》をたくさん読《よ》んでおけば、人生《じんせい》、どうにかなるもんじゃ。
本《ほん》を読《よ》み、チャレンジして、失敗《しっぱい》する。
これが、人生《じんせい》を楽《たの》しくするコツじゃ。

なに？　失敗《しっぱい》で終《お》わっていて、
いいのかって？
何《なに》を言《い》っとる。そこからはもちろん、
みんなが自分《じぶん》で考《かんが》えて、動《うご》くのじゃ！
動《うご》けば、まわりの世界《せかい》はどんどん変《か》わる。
この楽《たの》しさを、ぜひとも味《あじ》わってくれ！

大野正人

MASATO OONO

1972年、東京都生まれ。文筆家。『こころのふしぎ なぜ?どうして?』を代表とする、累計200を突破した「楽しく学べるシリーズ」(高橋書店)で執筆、イラスト原案を担当。論理的かつ深い視点から、誰にでもわかりやすい表現で執筆する技術を持ち、携わった書籍の累計売上は300万部を超える。著書に『命はどうして大切なの?』『夢はどうしてかなわないの?』(汐文社)など。

SHIPPAI ZUKAN

失敗図鑑

すごい人ほどダメだった!

2018年5月2日 第1刷発行
2025年1月23日 第32刷発行

著者 大野正人
編集協力 清水あゆこ
イラスト 死後くん
AD・デザイン 佐藤亜沙美
本文デザイン 守谷めぐみ(サトウサンカイ)
校正 株式会社ぷれす
編集 谷 綾子
発行者 山本周嗣
発行所 株式会社文響社
〒105-0001
東京都港区虎ノ門2-2-5
共同通信会館9F
ホームページ http://bunkyosha.com
お問い合わせ info@bunkyosha.com
印刷 中央精版印刷株式会社
製本 古宮製本株式会社

978-4-86651-059-0 Printed in Japan